풍경과 상처

풍경과 상처

김훈 기행산문집

문학동네

서문 _ 모든 풍경은 상처의 풍경일 뿐

나에게, 풍경은 상처를 경유해서만 해석되고 인지된다. 내 초로初老의 가을에, 상처라는 말은 남세스럽다. 그것을 모르지 않거니와, 내 영세한 필경筆耕은 그 남세스러움을 무릅쓰고 있다.

풍경은 밖에 있고, 상처는 내 속에서 살아간다. 상처를 통해서 풍경으로 건너갈 때, 이 세계는 내 상처 속에서 재편성되면서 새롭게 태어나는데, 그때 새로워진 풍경은 상처의 현존을 가열하게 확인시킨다. 그러므로 모든 풍경은 상처의 풍경일 뿐이다. 언어는 마치 쑥과 마늘의 동굴 속에 들어앉은 짐승의 울음처럼 아득히 우원迂遠하여 세계의 계면界面으로 떠오르지 못하고, 이 세계가 그 우원한 언어의 외곽 너머로 펼쳐져 있는 모습이 내 생애의 불우不遇의 풍경이다.

나는 모든 일출과 모든 일몰 앞에서 외로웠고, 뼈마디가 쑤셨다. 나는 시간 속에 내 자신의 존재를 비벼서 확인해낼 수가 없었다. 나는 내 몽롱한 언어들이 세계를 끌어들여 내 속으로 밀어넣어주기를 바랐다. 말들은 좀체로 말을 듣지 않았다. 여기에 묶어내는 몇 줄의 영세한 문장들은 말을 듣지 않는 말들의 투정의 기록이다. 아마도 나는 풍경과 상처 사이에 언어의 징검다리를 놓으려는 미망迷妄을 벗어던져야 할 터이다. 그리고 그 미망 속에서 나는 한 줄 한 줄의 문장을 쓸 터이다.

벗들아, 나는 여전히 삼인칭을 주어로 삼는 문장을 만들 수가 없다. 나는 세계의 풍경을 상처로부터 격절시킬 수가 없는 것이다. 나는 삼인칭의 산맥 속으로, 객관화된 세계 속으로 건너가지 못하고 일인칭의 가장자리에서 서성거리고 있다. 아마도 오래오래 그러하리라.

1993년 가을에
金薰은 겨우 씀

여자의 풍경, 시간의 풍경 _ 전군가도/사이판

사쿠라꽃 피면 여자 생각난다. 이것은 불가피하다. 사쿠라
꽃 피면 여자 생각에 쩔쩔맨다.

어느 해 4월 벚꽃 핀 전군가도全群街道, 전주-군산 도로를 자전거로
달리다가, 꽃잎 쏟아져내리는 벚나무 둥치 밑에 자전거를 세
워놓고, 나는 내 열려지는 관능에 진저리를 치면서 길가 나무
둥치에 기대앉아 있었다. 나는 내 몸을 아주 작게 옹크리고 쩔
쩔매었다. 온 천지에 꽃잎들이 쏟아져내리고 있었다. 나무둥
치 밑에 쪼그리고 앉아서 바라보면, 만경평야의 넓은 들판과
집들과 인간의 수고로운 노동이 쏟아져내리는 꽃잎 사이로 점
점이 흩어져 아득히 소멸되어가고, 삶과 세계의 윤곽은 흔들
리면서 풀어지면서, 박모의 산등성이처럼 지워져가는 것이었
는데, 세상의 흔적들이 지워져버린 새로운 들판의 지평선 너

머에는 짐승들의 어두운 마음의 심연 속에서 희미하게 가물거리고 있을 호롱불 같은 관능 한 점이, 그러나 명료하게도 깜박거리고 있었다. 그 관능의 불빛 한 점은 쏟아져내리는 꽃잎 사이를 꺼질 듯 꺼질 듯 헤치면서 지평선 저쪽으로부터 인간에게로 가까이 다가오면서 점점 크고 밝고 뚜렷하게 자리잡아, 이윽고 태양처럼 온 누리를 드러냈다. 숨을 곳이라고는 아무 곳도 없었다. 그 관능의 등불이 자전하고 공전함에 따라 이 세계 위에는 새로운 낮과 밤과 계절이 드나드는 듯했다. 꽃잎들은 속수무책으로 떨어져내렸다. 그것들의 삶은 시간에 의하여 구획되지 않았다. 그것들의 시간 속에서는 태어남과 절정과 죽음과 죽어서 떨어져내리는 시간이 혼재하고 있었다. 그것들은 태어나자마자 절정을 이루고, 절정에서 죽고, 절정에서 떨어져내리는 것이어서 그것들의 시간은 삶이나 혹은 죽음 또는 추락 따위의 진부한 언어로 규정할 수 없는 어떤 새로운, 절대의 시간이었다. 꽃잎 쏟아져내리는 벚나무 아래서 문명사는 엄숙할 리 없었다. 문명사는 개똥이었으며, 한바탕의 지루하고 시시껍적한 농담이었으며, 하찮은 실수였다. 잘못 쓰여진 연필 글자 한 자를 지우개로 뭉개듯, 저 지루한 농담의 기록 전체를 한 번에, 힘 안 들이고 쓱 지워버리고 싶은 내 갈급한 욕망을, 천지간에 멸렬하는 꽃잎들이 대신 이행해주고 있었다. 흩어져 멸렬하는 꽃잎과 더불어 문명이 농담처럼 지워버린 새 황무지 위에 관능은 불멸의 추억으로 빛나고 있었다. 그것은 인간의 육신에 대한 그리움은 아니었으며 여자에 대한 그리움도 아니었으나, 그 그리움의 대상이 인간의 여자였다 하더라도 무방했으며, 들개나 염소의 암컷이라 해도 역시 무방했다. 무방하였다. 그것은 말하자면 종種과 속屬으로 구획되기 이전의 만유萬有의 '♀'에 대한 그리움이었으며, 내가 그 그리움을 감당해내기 위해서라면 굳이 인간의 '♂'이 아니라도 또 한번 무방하였다. 내 벗은 몸을 내던져 이 난해한 세계와의 합일에 도달할 수 있다면 나는 수캐라도 좋았고 염소라도, 수탉이라도 좋았다. 만유의 혼음으로 세계와 들러붙으려는 욕망이, 어떻게 인간이라는 종과 속 안으로 수렴되어 마침내 보편적인 여자, 그리고 더욱 마침내, 살아 있는 한 구체적인 여자에 대한 그리움으로 정리되어오는 것인지에 관하여 나는 아직도 잘 말할 수가 없다. 그러나 단언하건대, 그 만유혼음의 그리움이 인간의 종과 속을 거쳐서 한 여자에게로 와 닿는 여정은 인간이라는 종족의 계통 발생의 여정만큼이나 장구하고도 외로운 것이리라. 그리고 또 말하건대, 인간의 여자에게로 향하는 그 여정에서 짐승의 호롱불 같은 만유관능을 떨쳐버리고 가는 것이 아니라, 그것들을 모두 챙겨서 거느리고 우리는 가는 것이리라.

꽃잎 쏟아져내리는 벗나무 둥치 밑에서 나는 내 모세혈관 속을 흐르는 저 짐승의 피의 수런거리는 소리를 들었다.

그후 또다른 어느 해 4월에, 나는 남태평양의 한 절해고도에서, 바닷가의 저편에서 이편을 향해 걸어오는 한 토인 여자를 보았다. 나는 그 토인 여자에 의하여 내 헤매려는 만유관능의 충동을 인간의 종과 속 안으로 확실하게 편입시킬 수 있었다.

하루의 답사일과를 마친 저녁이었다. 나는 바닷가 호텔 방안에서 문을 걸어잠그고 저무는 바다를 오랫동안 바라보았다. 흐린 날의 그 큰 바다는 한마디로 불가해했다. 그 너머의 대안對岸에 또다른 인간의 흔적이 있으리라는 추측이 남태평양의 흐린 바다 앞에서는 불가능했다. 물과 하늘과 수평선과 그 너머의 아득한 공간까지도 거대한 어두움 속으로 빨려드는 것이어서, 바다는 무한대로 뻥 뚫려진 허당일 뿐이었고, 몇 개의 가물거리는 등불로 버티어 있는 섬과 문명은 바다 앞에서 곰팡이나 버섯일 뿐이었다. 물결 높은 해안선이 호텔의 유리창 밑까지 바짝 달려들고 있었고 파도가 인간의 생각의 화살을 튕겨내버리는 것이어서, 생각의 화살들은 해연海淵의 캄캄한 깊이에까지 닿지 못하고 바다의 표면에 부딪쳐 무참히도 꺾어져버리곤 했다. 그때 한 토인 여자가 해안선의 저편에서 나타나 호텔 쪽으로 걸어오고 있었다. 나의 시선은 여자의 진행방향에 따라 서서히 왼쪽으로 이동했다. 여자는 해초류를 따는 여자였던 모양이다. 맨발에 바구니를 끼고 있었다. 그 여자는 익명의 여자였으며 나로부터 문명의 수세기와 지리의 수억만리로 격절된 여자였다. 시선이 닿지 못하는, 목측目測 너머의 미지의 공간으로부터 그 여자가 내 시선의 안쪽으로 서서히 걸어들어옴에 따라 나는 저 낯선 바다, 그리고 시선과 생각의 화살이 가 닿지 못하는 해연의 캄캄한 깊이와 해풍에 멸렬하는 낯선 시간들이 마침내 나에 의하여 감지되고 인식될 수 있는, 그리하여 그 위에다 내가 하나의 삶이나 의미를 세울 수 있는 새로운 시간과 공간으로, 서서히 그러나 확실히, 계절이 바뀌는 것처럼 조용히 그리고 분명히, 바뀌어오는 것을 느꼈다.

저 익명의 여자를 축으로 삼아 회전하는 세계와 시간의 공전은 따스하고 포근했으며, 비릿하고 달았고, 서늘하고 축축하였다. 여자는 그 하루만큼의 살아가기에 지쳐버린 듯, 느린 걸음을 천천히 옮기며 내 호텔 쪽으로 접근했다. 여자가 한 걸음씩 접근함에 따라 공전으로 바뀌어드는 세계와 시간의 저 비리고 오련한 질감이 먼동처럼 느리고 느린 확실성으로 굳어져오는 것을 나는 느꼈다. 이윽고 여자가 내 호텔 유리창 바로 밑을 지날 때 나는 그 여자의 부댓자루 같은 옷 속에서 젖가슴이 출렁거리는 것을 보았다. 맨발의 뒤꿈치에는 굳은살이 박여 있었다. 아마도 그 굳은살에는 그 여자가 세계의 표면을 디디고 살아온 노역이 갈라진 금으로 패어져 있을 것이었고 그 실핏줄 같은 금마다 때가 끼어 있을 것이었다. 그 토인 여자는 문명이나 교육에 의하여 형성된 여자는 아니었다. 그 여자는 오직 종족의 유전자만으로 형성된 여자였고, 해풍에 실려오는 낯선 시간들을 생명 속으로 받아들여 그 시간들을 새로운 피륙으로 짜아냄으로써 삶을 이어가고 있었다. 그 여자의 발뒤꿈치 굳은살과 갈라진 금과 때들은, 연민은 아니었지만, 그것을 연민이라 말해도 무방했다. 발뒤꿈치의 굳은살로, 인식되지 않은 불귀순의 시간과 공간을 헤치고, 세계의 표면을 걸어서 한 걸음씩 내게로 가까이 오는 여자는 내 종족인 인간의 여자였으며, 인간의 젖가슴과 인간의 목소리와 인간의 성기를 가진 여자였다. 여자는 내 호텔 유리창 밑을 지나서 저쪽으로 걸어가고 있었다.

세계의 질감質感은 또다시 공전했다. 따스함과 축축함이, 이제는 등을 보이고 저편으로 사라져가는 여자의 등에 실려 서서히 사라지고, 가을숲의 잘 마른 오솔길처럼 바스락거리는 서늘함이 세계의 공간 안에 가득 찼다. 나는 그 서늘함이 인간 쪽으로 인식되어질 수 있는 서늘함임을 느꼈다.

여자는 어둠의 저편 끝으로 사라지고 날은 캄캄하게 어두웠다. 나는 커튼을 여미고 자리에 누웠다. 뇌수가 쏟아져내리는 해조음이 밤새도록 세계의 변방에서 으르렁거렸지만, 그 인기척 없는 바닷가 호텔 방에서 그날 밤 나는 아주 오랜만에 깊고 편한 잠을 이룰 수 있었다. 그날 밤의 잠은 깊고 아늑했고, 빠져 죽을 듯이 곤했다. 세계와의 무섭고도 영원한 작별을 나는 잠 속에서 이루었다. 그날 밤의 잠에 관하여 나는 말할 수조차 없었다. 나는 말할 수 없는 것에 대해서는 말하지 않겠다. 말할 수 있는 것을 겨우겨우 말하기에도, 식은땀을 흘리며 기진맥진한다. 하여튼 아침에 잠에서 깨어났을 때, 나보다 먼저 나를 찾아와서 기다리고 있던 시간은 신선하고 반가운 시간의 손님이었다. 나는 그 손님을 맞아 수줍고도 친밀하게 사귀었다. 우리는 예절바른 벗이 되었다. 잠에서 깨어난 내 팔다리 속에는 내가 모르던 새로운 힘이 가득 차 있었다. 나는 신생新生했다. 그 힘들은 솜병아리의 부드러움과 귀여움, 그리고 독수리의 강력함과 정확함을 갖춘, 경이로운 힘이었다. 자리에서 일어나 옹크리고 앉아 나는 이 전율과도 같은 힘을 끌어안고 진저리를 치면서 쩔쩔매었다. 한 개씩의 개별적인 음音이 사라지고 다가오면서 선율을 이루듯이, 나는 나에게 찾아온 새로운 힘에 의하여 부드럽게 엉기고 연결되는 시간 위에서의 삶을 이루어낼 수 있을 것 같았다. 나는 그 가능성을 느꼈다. 내가 잠든 사이에 저 토인의 여자가 내 방에 찾아와서 시간 속에서 출렁거리던 그 젖가슴으로 나를 안아주고, 그리고 내가 잠에서 깨기 전에 사라져버린 것이 아니었을까.

내가 깊이 잠들어 있었으므로 그 여자가 다녀간 기척을 알 수 없었지만, 그 여자가 다녀가지 않았다고도 나는 말할 수 없었다. 나는 나에게 찾아온 새로운 힘을 '사랑'이라고 이름붙였다. 이름을 붙이고 나서 나는 혼자 좋아서 웃었다. 말린 조개를 끓여주는 수프가 그 바닷가 호텔 식당에서 가장 비싼 아침이었다. 나는 내 시간의 손님을 맞아서 그 조개수프를 주문했다. 나는 빈 의자를 앞에 놓고 혼자서 먹었다. 그 빈 의자에는 내 보이지 않는, 그러나 만유에 미만한 젊은 시간의 손님이 나와 마주 앉아 수프를 맛있게 떠먹고 있었다.

사랑을 이룬다는 저 속된 말에 의지해서 인간이 회원하는 것은 과연 무엇이었을까. 문명을 통해서 세계와의 합일, 삶에 대한 직접성, 시간과 더불어 짜여지면서 흐르기에 도달하려는 꿈은 문명을 제거함으로써 거기에 가려는 꿈과 나란하다. 그리고 사랑 또는 여자, 여자가 아니라면 그저 '너'에 대한 내 사유의 전체도 이 틀로부터 크게 벗어나지는 못한다. 저 나란함이야말로 내 삶 속의 말하여지지 않는 비극이다. 그리고 그 비극은 아마도 당신들의 비극과 동질의 것이되, 서로 소통되지는 않는 비극이리라.

건너오는 시조새들 _ 을숙도

그 새는 자기 몸을 쳐서 건너간다. 자기를 매질하여 일생
일대—生—代의 물 위를 날아가는 그 새는 이 바다와 닿은, 보
이지 않는, 그러나 있는, 다만 머언, 또다른 연안沿岸으로 가
고 있다.

　　　　　　　　_황지우, 「오늘날 箴言의 바다 위를 나는」

모든 생물은 개별적인 창조물로서가 아니라, 캄브리아계
지층이 침전하기 이전에 생존한 어떤 소수의 생물의 직계
자손으로서 고귀하다. 현존하는 종種 중에서 어느 하나라도
자신의 모습을 변화시키지 않고서는 자신의 종을 미래에 전
하지 못하리라는 것은 분명하다.

　　　　　　　　　　　　　_다윈, 『종의 기원』

황지우의 새는 세계 혹은 운명과 독대獨對하고 있는 단독자의 내면공간을 날고 있다. 다윈의 새種族는 주라기의 지층으로부터 현세에 이르는 수백만 년의 시간 속을 퍼덕거리며 건너온다. 황지우의 저 한 개의 문장 속에서 네 개의 콤마(,)들은 각각 한바탕의 거대한 운명들을 구획지으면서, 그 모순된 운명들을 부딪치고 비벼서 인문화人文化될 수 없는 원양遠洋의 공간을 비행 가능한 공간으로 바꾸어놓는다. 새가 건너가는 원양을 콤마들은 네 구역의 이질적인 해역海域으로 나누는데, 그 수면의 깊은 아래쪽으로 해류는 뒤섞이고 있다. 콤마들은 원양 위에 뜬 네 개의 섬처럼 대륙간을 비행하는 바쁜 새의 착지를 유혹하지만, 새는 그 콤마의 섬에 내려앉지 않는다. 새는 그 섬으로부터 까마득히 높은 고도의 상공을 날아 무착륙 비행으로 바다를 건넌다. 건너가고 있다. 그 새는 초월의 채찍으로 제 몸을 쳐서 날지만, 그러나 그 새는 "이 바다와 닿은" 보이지 않는 연안으로의 방향을 버리고 수직으로 솟구치지 않는다. 그 새는 수직의 꿈으로 수평 이동하는 현세의 새다.

『종의 기원』 속에서 새들은 시간 속을 날고 있다. 시간은 종족의 무덤이며 요람이다. 산맥과 사막을, 바다와 대륙을 퍼덕거리며 건너가는 새들의 현존은 매몰된 지층과 미래에 있을 지층 사이에 낀 무명無明일 뿐이다. 지층과 지층 사이의 수억 년을 날아, 새들은 역사나 문명 속으로 진입하지 않는다. 역사와 절연된 저 순결한 불모의 시간, 그 무서운 적막 속을 날아서 새들은 갈대 서걱이는 대륙의 언저리에 날아와 앉지만, 새들은 그 시간 속에서 빗살무늬토기를 만들지 않는다. 새들은 무명을 장식하지 않는다. 새들은 무명을 무명으로 통과해서 침식과 퇴적을 거듭하는 지층 속으로 돌아간다. 진화는 모든 혁명보다 더욱 혁명적인 것이어서 사멸한 종족의 멸종을 연민하지 않지만, 날개치는 유선형 현존現存의 그 대륙간 비행 속에는 그것들이 멸절시킨 종족과, 작별하고 돌아선 종족들이 지층의 심층부에 각인시킨 추억이 살아서 퍼덕거린다. 그러므로 지층 속에 각인된 새들의 멸절은 현존하는 한 마리 새의 날개 속에서 흔적적痕跡的이고, 높은 옥타브로 울면서 현세의 원양을 건너는 새의 날갯짓은 다시 현세의 지층을 떠나 내세의 지층으로 향할 새로운 새의 날개 앞에서 흔적적이다. 현존은 지나간 수억 년 그 흔적을 걸머지고 닥쳐올 수억 년의 흔적 속으로 소멸하는 기나긴, 그리고 필사적인 이동이다. 그러므로 대륙의 언저리 갈대밭에 떼지어 날아와 끼룩거리는 새들의 울음소리는 진양도 계면도 아니다. 그 소리는 대륙의 안쪽 땅 껍질 위에 들러붙은 문명이나 야만과 무관하다. 새들의 울음소리는 캄캄한 우주공간을 운행하는 천체들의 비행음처럼 인간에 의하여 통어되거나 해석되지 않는다. 새들의 울음소리는 물가의 갈대숲을 건너와 인간의 고막을 기계적인 진동으로 흔들 뿐, 저들의 울음소리는 인간에게 들리지 않는다. 대륙간 무착륙 비행으로 이제 막 당도한 물가를 울면서 선회하는 새의 무리를 바라보는 인간의 시선은, 날아서 건너는 대륙의 안쪽에 돋아난 인간의 도시와 경작지를 내려다보는 새의 시선처럼, 그렇게 똑같이, 피장파장으로 몽매하였고 서로의 몽매조차 확인할 수 없었으므로 막무가내로 치매하였다. 명왕성을 지나서, 어느 은하의 어느 별까지 퍼덕거리며 날아가 그 억겁의 지층 속에 파묻힌들 진화의 시간 속을 나는 그것들의 종착점이 자유일 리는 없었다. 새들은 근본무명根本無明 속을 난다.

정주定住하는 인간들의 도시가 첫 추위에 웅크릴 때, 새들은 보이지 않는 연안을 향해 내륙의 숲을 떠난다. 아시아의 내륙, 툰드라의 키 큰 나무숲을 떠나는 새들의 비행 편대는 중앙아시아의 사막과 히말라야 산맥을 넘어 인도의 남쪽 연안까지 무착륙 비행으로 날아간다. 기러기의 한 종족은 히말라야의 눈 쌓인 봉우리들을 넘을 때 1만 미터의 비행고도로 날아간다. 북극에 가까운 노르웨이와 알라스카의 자작나무숲에서 새끼를 낳는 솔새들은 수십만 마리의 대형 편대를 이루어 태평양을 건너서 인도양의 앤다만 섬의 연안으로 이동한다. 시베

리아의 동쪽 연안에서 발진하는 도요새의 편대들은 세계의 상공을 한 바퀴 돌아서 뉴질랜드의 남쪽 해안으로 날아와 앉는다. 바다 구간을 지날 때, 새들은 중간기착이나 공중 재급유 없이 그 무명의 막막한 공간을 통과한다. 내가 두려움 속에서 열광하는 한 조류학 책 속에는 그렇게 적혀 있었다. 새에 미친 그 부지런하고 호기심 많은 조류학자는 새의 발목에 끼워놓은 금속의 고리를 레이저로 추적하고, 그렇게 해서 얻어지는 새들의 항적航跡을 다시 항공기로 답사했던 모양이다. 그 조류학자는 그렇게 해서 새들의 비행코스와 편대의 정렬상태, 비행 중에 벌어지는 편대의 긴급한 재편성, 대양大洋 상공에서 며칠이고 계속되는 역풍을 돌파하는 비행기법, 새들의 고도변경과 기류탐색, 새들의 속도와 새들의 방향성, 대륙간 비행을 앞둔 발진 전야의 준비태세 같은, 인간다운 호기심에 값할 만한 것들을 밝혀냈다. 과학은 새들의 습속을 인간의 척도와 단위, 인간의 개념과 언어 속으로 편입시키고 계통화하지만, 그렇게 계통화된 인간의 언어는 다만 인간에 대해서만 유효할 뿐, 과거의 지층으로부터 미래의 지층을 향하는 수억만 년의 시간과 북극에서 남극까지의 인기척 없는 공간을 필사적으로 퍼덕거리며 건너가는 그것들의 유전물질 속에 각인된 운명과는 아주 사소한 관련밖에 없을 듯싶었다. 새들의 날개치는 운명과 버

22

리고 떠나는 충동의 맨 밑바닥에서 희미하게 움트는 새들의 언어로 기록된 조류학 책을 읽기 전에는 나는 어떤 조류학 책도 읽었다고 말할 수 없었다. 그리고 아마도 새들의 언어로 쓰여진 조류학 책은 문명이나 문화의 범주에 속하지 않는 책이며, 빗살무늬토기 이전의 혼돈일 것이다.

내 나라 남쪽 연안에 당도하는 겨울새들의 가슴은 강력하다. 반도의 남쪽 근해 상공에서, 멀리 해안선을 막아선 산맥의 윤곽이 희뿌옇게 드러날 때, 새들의 편대는 연안을 향하여 방향을 튼다. 대열을 흐트러뜨리지 않고 착륙방향으로 진입하면서 비행고도를 낮추는 새들의 흰 가슴은 석양에 젖어 붉다. 포개진 산맥의 능선들이 먼 것부터 차례로 어둠 속으로 불려가 소멸하는 저녁 무렵에, 살아 있는 모든 것들이 존재와 부재의 완충지대에서 몸 둘 곳 없어하는 박모의 시간에, 새들의 편대는 날갯짓 한 번 없는 활공의 궤적조차 남기지 않고 그 완충의 시간과 물가에 내려와 앉는다. 원양을 건너와 이제 막 당도한 새들은 가쁜 숨 한 번 내쉬지 않는다. 새들은 무명 속에서 의연하다. 고공을 날 때, 그것들은 대가리에서 발끝까지, 좌익左翼에서 우익右翼까지 존재의 전장全長을 끝까지 뻗쳐서 지층과 지층 사이의, 그리고 연안과 연안 사이의 무의미와 싸우는 젊은 전사의 모습을 갖춘다. 떼지어 이동하고, 떼지어 숙영하는 새들조차도 시공 속을 혼자 나는 단독자이며, 단독單獨한 전사이며, 자신의 싸움 속에서 시조새인 것이다. 당도한 새들은 저들의 부족별 구획으로 물가에 서서 일제히 목을 길게 빼서 저무는 산맥과 불빛 돋아나는 인간의 마을을 바라보고 있었다. 새들의 족속은 조류학자들이 '인상받기'라고 부르는 어떤 편애 작용에 의하여 한 특정한 연안의 물가로 해마다 날아온다고, 책 속에는 적혀 있다. 원양과 산맥을 넘어서 내 나라 남단의 물가에 날아와 앉는 저 족속들의 편애의 내용은 무엇인가. 당도한 새들의 마음속에서, 저들이 다시 돌아와 바라보는 산맥과 인간의 불빛은 어떤 의미내용을 갖는 것인가. 나는 새들의 편애가 가엾었다. 새 날아오는 남쪽 물가에서 나는 무참하였고, 지층으로 돌아가 파묻힐 새들은 그 힘센 가슴패기를 겨울 바람에 정면으로 노출시키고 잠들었다. 날개를 퍼덕여 시공을 관통하게 하는 근육의 힘과, 정밀한 혈관 속을 흐르는 더운 피가 그 가슴속에 살고 있을 것이었다. 돌아와 잠든 새들의 발아래서 연안은 침식과 퇴적을 거듭하며 내세來世의 지층을 만들어가고 있었다.

AD 632년의 개 _ 경주 남산

가을은 산맥의 뼈를 발라 가지런하게 한다. 가을 산맥의 뼈
들은 여름의 질퍽거리던 숲과 흙을 떨쳐버리고 흰 뼈대의 얼
개만으로 뭍의 골조를 이루어, 설산고행하는 부처의 가슴팍
늑골을 닮아간다. 산맥들은 그 품안에 먹이던 모든 잎들을 흙
으로 돌려보내고 마른 뼈만을 시공 속에 드러내면서 겨울을
나는데, 그때 모든 골산骨山은 토산土山 위로 뜬다. 길은 살 속
으로 그리고 흙 위로만 뻗어 있는 것이어서 토산이 끝나는 흙
의 가장자리에 서서 나는 산의 뼈로 건너가는 등산로를 찾아
내지 못한다.

가을의 경주 남산南山에서는 산의 살과 피가 증발해버린 골
산의 능선을 따라서 부처의 뼈가 드러난다. 경주 남산에서는
주봉을 중심으로 산세를 가늠하기가 불가능하다. 권역이 그다

지 넓지도 않은 그 산은 모든 계곡들이 그 골짜기가 다하는 곳에 저마다의 봉우리 하나씩을 이고 있고, 골짜기를 옆으로 질러 넘어가면 별도의 봉우리를 섬기는 또다른 계곡이 흘러내린다. 독립된 계통을 이루는 골짜기와 봉우리들이 겹치고 교차하면서 삼십여의 중첩으로 출렁거린다. 남산의 조밀한 봉우리들은 다른 어떤 봉우리에 대해서도 군신君臣의 관계를 이루지 않는다. 그 봉우리들은 정돈된 위치에서 결박된 운명의 단정함과 자족스러움을 자유로 위장하지 않는다. 그 봉우리들은 주봉을 옹위해서 시립한 봉우리가 아니고 주봉의 웅자에 경배하며 모여서 조회朝會하는 신하의 봉우리가 아니다. 남산의 모든 봉우리들은 그 아래쪽으로 한 줄기씩의 독자적인 계곡의 자유를 거느리는 개별적인 정상으로서 높거나 혹은 낮을 뿐이다. 남산에는 주봉이 없다. 남산의 어느 능선에서 바라보아도 봉우리들은 이른바 주봉을 향한 원근대소의 위치에 자신을 세우지 않는다. 남산의 산으로서의 깊이는 낮은 봉우리와 가까운 봉우리가 멀고 높은 봉우리를 심원한 배후로 삼아 그 앞에 포진함으로써 이루어지는, 근近과 원遠, 저低와 고高 사이의 거리의 깊이나 그 거리를 추적하는 관찰자의 시선의 깊이로 이루어지지 않는다. 남산의 깊이는 어느 봉우리도 위압적으로 출중하지 않은 채, 어느 봉우리도 수줍거나 왜소하지 않은 채,

모든 봉우리들의 독자적인 개별성으로서 군집을 이루는 그 자유로운 중첩의 깊이에 있다. 월성月城 들판의 가장자리에서 그 산을 바라다보면, 산을 주름지우는 수많은 계곡들은 다만 한 줄기 짙은 수묵선으로 흘러내려 그 늙은 산의 주름을 이루고 봉우리들은 주능선의 아래쪽으로 흩어져 능선 위로 돌출하지 않는다. 그 산의 독자적 계통을 지닌 수많은 계곡과 봉우리들을 횡으로 가로지를 때 경주 남산은 노령산맥이나 소백산맥과도 같은 산악체험을 가져다주지만, 월성의 들판에서 바라보는 경주 남산은 다만 농경과 살육의 들판과 거기서 거듭되는 생로병사의 연장으로, 역사와 더불어 침묵 속에서 늙어가는 지순한 외곽능선일 뿐이었다. 남산은 평야平野 속의 산이다. 기진한 능선들이 들판으로 잦아드는 언저리에서 산은 들로부터 겨우 몸을 일으키는 흙의 유순한 융기에 불과했으나 산의 골세骨勢는 이미 거기서부터 시작되고 있었다. 뼈의 얼개들은 산의 언저리로부터 희미한 맥을 일으켜 계곡을 따라 올라가다가 문득 힘이 솟구치는 곳에서 계곡을 옆으로 타넘고 이웃 계곡을 따라 올라온 또다른 골세와 합쳐지면서 칠부능선 위쪽으로 뼈의 숲과 바다를 이루는데, 그 뼈줄기 모든 관절에서 부처는 피어난다.

경주 남산에서는 예기치 못한 모든 모퉁이나 굽이침에서 부처와 탑들이 복병처럼 불쑥불쑥 나타난다. 인간의 농경과 살육이 아득히 펼쳐진 평야가 내려다보이는 능선 위에서 어떤 부처들은 인간의 들 쪽으로 한 번의 시선도 돌리지 않고 자신의 안쪽만을 들여다보고 있다. 자신의 안쪽을 들여다보는 부처는 그 부처를 다시 들여다보는 인간의 시선을 돌의 안쪽으로 끌어들일 듯하다. 그러나 돌의 안쪽을 헤집지 못하는 인간의 시선은 되돌아와서 제 자신의 안쪽을 겨눌 뿐인데, 시선이 되돌아와 꽂히는 마음의 안쪽은 또 얼마나 캄캄한 돌 속이랴. 역사는 그 마음의 돌 속, 쑥과 마늘의 동굴에서 벌어진 모든 정벌과 살육과 꿈과 절망의 총화일 터이다. 부처는 돌 위에서 웃고 있다.

고대사는 인간의 온갖 염원과 절망 그리고 판타지들에게도 그 합당한 역사적 위상을 긍정하고 있다. 고대사는 살육과 판타지를 중언부언하지 않는다. 김부식金富軾은 거대한 혼돈을 두어 마디의 문장으로 내리찍는다.

가을에 太白이 太微로 들어갔다.   _南解次次雄 20년

9월에 군사를 보내어 百濟를 쳐 蛙山城을 도로 빼앗고

百濟에서 넘어와 사는 자 2백여 명을 죄다 죽였다.

_脫解尼師今 20년

8월에 阿湌 吉門이 加耶兵과 黃山津口에서 싸워 적의 목아지 1천여 級을 얻었다. _脫解尼師今 21년

궁중의 우물이 갑자기 넘치었다. _訖解尼師今 39년

3월에 황새가 月城 모퉁이에 깃들이었다.

_訖解尼師今 41년

5월에 서울에서 물고기가 비에 섞여 왔다.

_柰勿尼師今 18년

10월에 王이 嘗御하는 內廐의 말이 무릎을 꿇고 눈물을 흘리면서 슬피 울었다. _柰勿尼師今 45년

柰勿王의 아들 卜好를 高句麗에 볼모로 보냈다.

_實聖尼師今 11년

佛法을 처음으로 행하였다.   _法興王 15년

皇龍寺 丈六像에서 눈물이 흘러 발꿈치까지 내리었다.
                                        _眞興王 36년

7월에 南山城을 쌓으니 둘레가 2천8백54 보였다.
                                        _眞平王 13년

秋冬간에 기근이 일어나 자녀를 파는 자가 있었다.
                                        _眞平王 50년

2월에 흰 개가 대궐 담 위로 올라왔다.   _眞平王 53년

경주 남산에 불상과 불탑들이 조영되던 3백여 년의 당대사
는 주술과 마법에 걸려 있었던 모양이다. 배암들이 대궐 늪 속
에서 높은 옥타브로 울어댔고 불상과 마소들이 해독할 수 없
는 눈물을 흘렸다. 지진과 일식과 월식이 끝도 없이 계속되었
고 온 나라의 우물이 때때로 넘쳤다. 별자리들이 서로 침범했
으며 죽은 별들은 비처럼 땅 위로 떨어져내렸다. 이방의 새들
이 날아와 대궐 숲속에 둥지를 틀었고 쥐들은 떼지어 북쪽으

로 몰려갔다. 바다에서 물의 세력들이 부딪쳐 싸우는 소리가 대궐에까지 들렸고 이어 바닷물이 핏빛으로 변했다. 진평왕 53년 2월에, 경주의 흰 개는 어쩌자고 대궐 담 위로 올라간 것일까? 그런 의문은 그야말로 몰역사적이지만, 그 몰역사적인 의문은 대답되지 않는 마법의 의문으로, 경주의 흰 개가 자연사한 후 5백여 년을 살아남아 김부식의 역사 속에 기록되기에 이른다.

김부식의 역사 속에서는 '기근이 일어나 자녀를 파는 자가 있었다'는 단말마의 인간고와 '흰 개가 대궐 담 위로 올라왔다'는 공포의 판타지가 동격의 기사로 대접받고 있다. AD 632년 음력 2월의 경주 반월성, 대궐 숲에 봄꽃들은 자지러지게 피어나 세상은 방위를 가늠할 수 없이 몽롱하였다. 권력의 지밀한 핵심부에서는 새로운 정벌과 살육과 모반과 음모가 무르익어가고, 반월성 안 전각마다 젊은 궁녀들이 봄의 생리통을 앓고 있을 때, 경주의 흰 개는 대궐 담 위로 올라갔다. 반월성 주변 백성들은 이 흰 개의 월장을 숨죽이며 바라보았다. 이 흰 개의 생몰연대, 이 흰 개에 관한 생물학적 사실들, 월장의 사실 여부는 고고학적 발굴이나 문헌학적 검증의 대상이 되지 않는다. 고고학적 지층연대를 일체 떠난 초시간적 공간 속에서 그 개는 짖고 있다. 고대사의 어느 봄날, 왕궁의 담장 위로 올라간 사기史記의 흰 개는 꽃 피는 반월성을 향하여 컹컹 짖고, 경작과 살육을 예비하는 봄의 들판을 향해 컹컹컹 짖었다. 이 개의 울음은 5백 년 동안 이 문헌 저 문헌 속을 울리다가 『삼국사기三國史記』에 닿았고, 제국의 한복판 왕궁 담장 위에서 개는 컹컹컹, 김부식의 정사正史 속을 울린다. 어째서 김부식과 그 휘하의 젊은 지식인들이 당시의 비교적 넉넉했던 사료들 중에서 개의 월장과 뱀의 울음과 말의 눈물과 낯선 새들의 깃들임을 '기록해서 후세에 전해야 할' 역사적 사건으로 받아들이는 것인지, 나는 저들의 마음의 비밀을 헤아리지 못한다. 세계는 해독할 수 없는 수많은 기호와 표상으로 가득 차 있다. 정사를 쓰고 있는 우리들을 향해 지금도 저 흰 개는 짖고 있다. 우리는 해독되지 않는 것들의 울음과 짖음을 해독되지 않은 채로 후세에 전한다. 저 개는 인간세人間世의 들판을 향해 짖고 또 짖으리. 아마도 김부식들은 그런 두려움에 가위눌려 있었던 것은 아니었을까.

경주 남산을 어슬렁거릴 때, 나는 내 등뒤에서 짖어대는 AD 632년의 개 짖는 소리의 환청에 끄달렸다. 개 짖는 소리는 1천3백여 년의 시간을 가로질러 내 쪽으로 건너오면서 모든 당대사의 개 짖는 소리들을 일깨웠다. 개들은 목울대의 힘

줄을 드러내고 일제히 짖어댔다. 칠부능선 위쪽에서 부처들은 웃고 있었다. 부처들은 이 세계의 어떠한 방향도 쳐다보지 않는 시선으로, 그러나 무엇인지를 골똘히 들여다보며 웃고 있었다. 부처의 웃음은 오라는 것인지 가라는 것인지, 유혹인지 배척인지 알 수 없었다. 목이 떨어져나간 돌부처三陵谷 石佛坐像가 몸통만으로 가부좌를 틀고 있다. 머리가 없는 그 부처의 어깨와 팔과 포개진 두 다리는 한 소식 확보한 자의 기백으로 당당하고 부드럽다. 존재의 존재성을 스스로 완성한 자의 앉은 자세는 세계를 자신의 안쪽으로 끌어들여 재편성하는 자의 모양새이다. 그는 이 세계의 계면으로부터 척추를 곧게 세우고 수직으로 앉지만 그의 어깨를 흘러내려 몸통의 외곽을 휘감는 선은 이 돌덩어리의 이념적 내면을 이루는 수직의 가파름을 용해시켜서 그 수직이 돌의 바깥으로 돌출하지 못하게 한다. 수직은 돌의 저 안쪽을 일으켜세우는 척추만을 이념화하는 것이다. 그 돌부처는 수직을 무화시켜버리는 수직의 자세로 앉아서, 그러나 무화되어버리는 수직 속에서 수직의 수직됨을 완성해가면서, 떨어져나간 머리통을 그리워하지 않는다. 머리통뿐 아니라, 온 전신이 티끌과도 같은 파편으로 부서져나갔다 하더라도 그 파편들은 다른 어떤 파편들도 그리워하지 않았을 것이다. 떨어져나간 머리통은 지금 남산의 어느 골짜기 수렁

속에 처박혀서 방향을 가늠할 수 없는 시선을 내리깔고 유혹인지 배척인지 알 수 없는 웃음을 웃고 있다. 머리통이 떨어져 나간 돌부처의 목 위로 무한천공이 펼쳐지고, 돌 속의 웃음을 웃고 있는 불두佛頭의 환영이 떠오를 때, 그 웃음의 환幻 속에서 모든 당대사의 개들은 일제히 짖어댄다.

흰 개가 우짖고 쥐들이 떼지어 북으로 가는 그 땅의 해안선에, 오랜 풍랑과 난파에 시달린 부처의 형상은 표착漂着한다.

그후 얼마 안 되어 바다 남쪽에 큰 배 한 척이 나타나서 하곡현河曲縣 사포絲浦에 닿았다. 이 배를 검사해보니 공문公文이 있었는데, 이르기를 "서축西竺 아육왕阿育王이 누른 쇠 오만칠천 근과 황금 삼만 푼을 모아 장차 석가의 존상尊像 셋을 부어 만들려고 하다가 이루지 못해서 배에 실어 바다에 띄우면서 빌기를 부디 인연 있는 국토國土로 가서 장륙존상丈六尊像을 이루어주기 바란다" 했고, 부처 하나와 보살상 둘의 모형도 함께 실려 있었다.

_『삼국유사』 권3

이루지 못한 부처를 실은 배는 기약 없는 인연의 땅을 찾아 흘러가는데, 남염부제의 열여섯 큰 나라와 1천 개의 작은 나라와 8만 개 마을의 해안을 헛되이 떠돌아다닌 후 이 흰 개 짖는 땅에 당도하였다. 부처는 해독되지 않는 현실에 가위눌린 중생들의 산으로 상륙하여, 산의 뼈마디마다에서 돋아난다. 남산 탑곡塔谷의 골짜기에서 올려다보면 어떤 부처들四方佛은 비천飛天의 자세로 지상에서 떠 있다. 그 부처들은 옷자락을 휘날리며 떠 있는데, 저 부처들이 지상에서 하늘로 올라가는 것인지, 하늘로부터 이제 막 지상에 당도한 것인지 가늠하기 어려웠다. 떠 있는 부처들 속에서 상승과 하강은 합쳐지고 있었다. 중생의 눈에 그 부처들은 오히려 상승도 하강도 아닌, 돌의 캄캄한 안쪽으로부터 돌의 거죽으로 배어져나온 부처들로 보였다. 표류하는 부처가 헛되이 흘러온 1천 개의 나라와 8만 개의 마을이 그 돌의 캄캄한 안쪽으로부터 돌의 거죽으로 또한 떠오르고 있었다. 나는 돌의 캄캄한 안쪽으로, 그 안쪽의 8만 개의 마을과 1천 개의 나라 속으로 내 생각의 끄트머리를 들이밀 수가 없었다. 돌의 안쪽으로부터 부처는 웃고 있었다. 이 용장사茸長寺 계곡의 삼층석탑은 부처들의 봉우리 위에서 하늘을 가리키고 있다. 어떤 탑도 들판을 내려다보지는 않는다. 부러져나간 상륜부 위로 왕도王都의 하늘은 푸르렀다. 상륜부가 부러져나간 그 빈자리에서 탑의 지향성은 더욱 선명하였다. 탑은 가파른 체감률로 긴장되어 있었다. 탑의 체감률은 어째서 인간을 긴장시키는 것일까. 아랫돌이 더 크고 윗돌이 더 작은 이 물리적 구도는 왜 그것을 들여다보는 중생의 마음으로 하여금 먼 것들을 간절히 부르게 하는가. 경주 남산에서 나는 겨우 거기에 대답할 수 있었다. 탑이 아름답다는 것은, 탑의 체감률이 아름답게 긴장되어 있다는 것은, 현세가 고통스럽다는 말과 조금도 다르지 않다. 탑은 오탁악세汚濁惡世 속에서만 아름답다. 저물어 하산하는 내 등뒤로 AD 632년의 흰 개는 컹컹컹, 짖고 있었다.

겸재謙齋의 빛 _ 울진 월송정·망양정

일몰日沒의 빛은 바다에 닿아 죽는다. 바다를 가득 채우는 빛의 죽음은 가볍다. 빛들은 죽어서, 부재不在로부터 부재로 건너가는데, 그 건너가는 여정 속에서만 빛들의 삶은 빛난다. 그러나 그것들의 소멸을 죽음이라고 말해서는 안 되리라. 빛들은 피와 살의 자식이 아닌 때문이다. 일몰의 동해에서 수면에 깔린 빛들은 소멸해가는 시간의 가루들이다. 저무는 해가 태백산맥의 사나운 등성이에 걸리면 산맥 위 하늘로 퍼지는 빛들은 수평선 너머로 몰려나가고, 빛들은 거기서부터 수면에 깔리면서 연안으로 퍼진다. 저들의 더 큰 무리들은 연안으로 다가오지 않고 떼지어 원양遠洋으로 나아가, 뭍의 가장자리에 서 있는 인간의 시선과 교신交信을 두절시킨다. 목측과 언어는 영세한 포구 어업무선국의 출력처럼 가늘고 어두워서, 나는 대화퇴 너머 제139해구 밖으로 몰려나간 저녁 빛들의 소식을 호출하지 못한다. 해가 산맥 너머로 빠지면 빛들은 어둠 속으로 녹아들면서 절정을 향해 타오른다. 그때 수면에 깔린 저녁의 빛은 연안에서부터 소멸해간다. 연안의 수면이 어둠에 잠긴 뒤 수평선 너머로 몰려간 소식 없는 빛의 무리들은 먼 잔영으로 원양의 수면 위를 떠돌다가 이윽고 소멸한다. 서해의 일몰은 내려앉는 해를 빛의 중심부로 끌어안고 침몰하는 것이어서 해가 원양에서 연안에 이르는 수면의 모든 빛들을 거두어가는데, 일몰의 동해에서 빛들은 산맥 너머로 빠지는 해의 고삐에서 풀려나 아비 없고 호적 없는 부랑의 무리로 떠돈다. 빛들은 인간의 언어가 개념화하는 그 어떤 색깔도 아니다. 빛들은 개념으로부터 멀리 비켜서서 흔들린다. 빛의 가루들은 빛의 원형으로부터 바래어져 있다. 산맥을 넘어가는 시간의 바람에 그 빛들은 불려가는데, 빛들의 표정은 바람에 쓸리워 지쳐 있다. 빛이 세계의 계면에 부딪쳐 색色을 이루되, 색은 빛에 실리지 않는다. 세계의 계면에 숨은 색들은 빛에 닿아 색으로 살아나지만 저물어가는 빛들이 아주 떠나버린 후에도 색들은 죽지 않는다. 빛들이 대화퇴 너머 원양으로 몰려나갈 때 세계의 거죽에서 부랑하던 색들은 계면의 깊은 안쪽으로 내려앉는다. 빛과 색은 서로의 현존을 확인하지만 그것들은 마침내 섞이지 않는다.

세계는 고정되지 않는다. 인간이 세계를 고정시킬 때, 그 고정의 결과물은 개념적 언어이거나 또는 카메라 뷰파인더 속의 사각형이다. 대상은 개념적 언어나 뷰파인더의 사각형을 신속히도 벗어난다. 대상은 시간 속에 있다. 대상은 대화퇴 너머의 원양에서 소멸해가고, 개념의 집적물은 내륙에 쌓인다.

겸재謙齋 정선鄭歚, 1676~1759 화폭의 자유는 세계를 고정시키지 않는 자의 포괄성과 유연성이다. 그의 화폭은 흘러가는 세계의 흐름 위에 실려 소멸하면서 생성한다. 겸재 화폭 속의 동해東海는 수평선 너머 원양에서 출렁거리는 물결의 흔들림으로 가득 차 있다. 수평선은 인간의 목측이 자진自盡하는 한계선이다. 인간의 시선이 공간을 감당하지 못해 스스로 죽어갈 뿐, 하늘과 땅이 닿을 리는 없는 것이다. 수평선은 부재하는 것의 환幻이거나, 목측에 의해 그리고 관찰자가 발 디디고 선 내륙의 위치에 의해 개념으로 굳어져버리는 헛것이다. 겸재의 동해는 그 부재하는 것의 환에 의해 결박당하지 않는다. 〈통천 문암通川門岩〉〈월송정越松亭〉〈청간정淸澗亭〉〈망양정望洋亭〉 같은 동해화폭 속에서, 원양에서부터 흔들리면서 일어서는 물결은 연안으로 가까워지면서 순해진다. 그 바다는 시간과 공간을 이끌고 우주 속으로 바삐 가고 있는 바다이다. 화폭의 위쪽으로 펼쳐진 바다가 흔들릴 때, 그보다 더 위쪽으로 펼쳐진 하늘이 흔들린다. 바다와 하늘이 수평선이라는 부재하는 환에 의해 구획되는 것이 아니라, 바다와 하늘은 뒤섞이고 삼투하면서 논다. 인간세人間世는 화폭의 아래쪽이거나 오른쪽 한 모퉁이에 정자나 또는 관산觀山하는 여행자로 표현된다. 겸재 화폭의 인간세는 섬유질만으로 걸러진 인간세이다. 인간세는 원양으로부터 밀려드는 흔들림에 의하여 떨리는데, 관산하는 인간들은 그 떨림 속을 걸어가거나, 혹은 화폭 위쪽의 더 큰 흔들림을 바라보고 있다. 겸재 화폭 속의 인간은 세계를 바라보는 관자觀者로서의 인간이다. 그들은 세계의 비밀을 모두 다 알아버려서, 그래서 세계로부터 늠름하게 등을 돌릴 수 있는 견자見者로서의 몸짓을 거의 보이지 않는다. 그 관자들은 매개물이 없이 세계를 바라본다. 매개물이 없이 세계를 바라볼 때, 그 세계는 존재태로 파악되는 것이 아니라 운동태로 파악된다. 겸재의 화폭은 그 운동태의 움직임을 따라서 전개되고 있다. 견자의 마음과 사유는 이 세계보다 클 테지만 관자의 화폭 속에서의 크기는 가물거릴 정도로 왜소하다. 그 왜소한 인간이 세계의 흔들림을 내면으로 받아들여 화폭에 펼친다. 세계가 다시 화폭 위에 펼쳐질 때, 그 세계는 몰가치한 물리적 공간으로서의 세계가 아니라 인간성의 본질을 통과해 나온 인문화된 세계이다. 그러므로 겸재의 화폭에 등장하는 모든 관자들은 도가道家가 아니라 유가儒家인 것이다. 유가의 마음의 섬유질 올 사이사이에 어찌 도가를 향한 그리움이 없으랴. 겸재화폭의 관자들은 도가를 그리워하지만, 도가의 허령虛靈과 적멸 속으로 넘어가지 않는다. 그들은 절벽에 바짝 가까이 가지도 않고, 벼랑 끝 바위에 걸터앉지도 않는다. 그들에게는 관찰자의 겸허함과 두려움이 있다. 그들은 토산土山의 가장자리에서 흰 골산骨山을 바라보며 수런거린다斷髮嶺望金剛山. 그들은 골산의 흰 뼈를 바라보지만 골산 쪽으로 건너가지는 않는다. 길은 인간세에서 토산의 맨 가장자리까지만 이어져 있거나, 토산과 골산의 경계를 따라 뻗어가거나, 혹은 차단되어 있다. 토산에서 건너가는 횡단도로란 없다. 골산의 뼈는 바라보거나혹 그리워할 대상이지만, 겸재 화폭 속의 관자들은 그리로 건너가지는 않는다. 다시 한번, 그들은 유자儒者들인 것이다.

내 초로의 어느 가을날, 나는 겸재가 동해안을 따라 내려가면서 동해승경東海勝景을 화폭에 옮겼던 월송정越松亭. 경북 울진군 평해읍 월송리, 망양정望洋亭. 경북 울진군 기성면 망양리, 청간정淸澗亭. 강원 고성군 토성면 청간리, 성류굴聖留窟. 경북 울진군 근남면 구산리을 일삼아 떠돌아다녔다. 망양정은 옛 기성면의 바닷가에서 지금의 근남면 산포

리로 옮겨 세운 지가 140여 년이 넘어, 기성면의 옛 망양정 자리는 도로공사로 단애의 허리가 잘리워나가, 바닷물은 단애 끝으로부터 멀찌감치 쫓겨났고 그 사이는 시멘트 칠갑이 되어 있었다. 정자터는 사방이 깎여져나갔고 화폭 속의 소나무숲도 베어져버린 채, 그 언덕은 그저 무의미한 흙더미로 변해 있었다. 마을의 고로古老들도 그곳에 들어서 있던 정자를 본 일은 없었고, 다만 그들의 증조나 고조로부터 전해오는 구전에 의해 그 흙더미가 망양정 옛터였음을 옮길 뿐이었다.

겸재의 화폭을 마음속에 앞세우고 겸재 실경산수實景山水의 자리를 찾을 적에 그곳에 옛 정자가 이미 오래 전에 없어져버린 그 허전한 사태는 그다지 허전하지 않았다. 왜 그런가. 현실 속의 정자에 오르면 화폭 속의 정자는 보이지 않는다. 육신의 눈을 앞세워 정자를 찾아오는 자에게는 풍경 전체 속에서 인간세의 위치와 규모를 대표하는 상징으로서의 정자는 보이지 않는다. 만일 망양정 옛터에 옛 정자가 남아 있고, 내가 내 주린 두 눈을 앞세워 그 정자에 올랐다 한들 겸재 화폭 속의 정자가 풍경 전체의 구도와 질감 속에서 인간의 눈에 포착되었을 리는 없다. 육신의 눈을 앞세워 이동하는 인간은 그가 수고스럽게 발을 디뎌 당도한 모든 위치에서 한바탕의 치명적인 맹목에 봉착한다. 이동은, 맹목과 더불어 이동하는 것이다. 수평선과 소실점이 그 맹목을 완성한다. 두 발로 디디고 선 땅의 물리적 위치가 현실이 아니라, 그 물리적 위치를 다시 내려다볼 수 있는 어떤 새로운 공간 속의 위치가 인간의 현실인 것이다. 겸재의 실경實景이란 이 새로운 공간 속의 위치로부터 자연의 안쪽으로 투사되는 인간정신이다. 그는 현실의 물리적 위치를 어느 정도 떠나서 그 위치를 화폭의 저쪽으로 밀쳐버림으로써 인간세의 현실을 그려낼 수 있었고, 인간세와 자연의 위치와 크기의 비례를 그려낼 수 있었고, 인간세와 자연이 교감하는 모습을 그려낼 수 있었으며 그 경계의 서늘함을 화폭에 담을 수 있었다. 겸재의 원근은 시선이 진행하는 기하학적 방향을 끝까지 따라가는 원근이 아니다. 그의 원근은 대상의 깊이나 높이, 대상과의 거리를 포괄적으로 파악하는 실존의 시선이다. 먼 산을 그릴 때 그는 그 산과 인간 사이의 거리를 그리는 것이 아니라, 그 거리를 들여다보는 시선의 깊이를 그린다. 먼 것들은 원근상의 거리에 의해 격리되는 것이 아니라, 깊이에 의해 자리잡는다. 겸재의 화폭 속에서 풍경은 가깝다는 이유만으로 사실성을 부여받지 않고 또 멀다는 이유만으로 사실성을 박탈당하지 않는다. 대체로 그의 그림 속에서는 인간과 인간에 직접 관련된 것들―정자, 집, 배, 나귀, 가마, 화분, 성곽 같은 것들이 비교적 명료한 사실성을 띠고 있지만,

그 사실성은 원근에 의해 정립되는 사실성이 아니라, 세계를 관찰하는 인간과의 관계 속에서 정립되는 사실성이다. 사물의 사물됨이 표면으로 돌출함으로써, 그 사물이 외계에 대해 배타적인 윤곽선에 의해 구획되어지면, 그 외곽선에서는 쇳소리가 나게 마련인데, 이 쇳소리가 사실성이 아니라, 사물이 사물로서의 깊이와 더불어 다른 사물과의 관계 속에서 유동하는 것이 겸재 실경의 사실성이다. 정신 속에 설정된 시점으로부터 내다보이는 세계의 모습이 사실성인 셈이다. 겸재의 화폭 속에서 고준高俊한 바위나 봉우리들은 다만 높고 우뚝함만으로 이루어지지 않는다. 고준은 그 높고 우뚝함의 밑부분을 받치는 거칠음과 뒤엉킴을 포함한다. 고준은 흔히 인간정신이 이념화되는 절정일 수도 있지만 그 이념의 밑바닥은 단정하지 않고 흐트러져 있다. 수직은 이념적 수직이 아니라 수평의 욕구에 의하여 쉴새없이 흔들리고 있다. 겸재의 고준은 그 흔들림을 끌고 올라가고 있다. 바위의 표면에 기하학적인 선이란 존재하지 않는다. 바위뿐 아니라 모든 삶의 현실 속에서 기하학적 선이란 존재하지 않는다. 현실은 울퉁불퉁한 운명을 갖는다. 두 점 사이의 최단거리란 논리적으로 명석할수록 몽상적이다. 바위는 집적된 면과 집적된 선으로 구성된다. 하나의 면이 흘러내리다가 뒤틀리고 포개지면서 또다른 면으로 전환

된다. 이 면들의 뒤틀림과 이어짐 그리고 포개짐의 전환을 이끌면서, 그 전환의 율동이 하늘로 치솟아 고준을 이룬다. 세계의 중층구조, 면들의 뒤엉킴, 이념의 밑바닥을 이루는 무질서—겸재의 준皴은 이 다양성들을 인간의 안쪽으로 끌어들여, 그 다양성을 세계의 질량감으로 표현해낸다. 인간이 손을 내밀어 세계를 만질 때, 또는 입을 벌려서 세계에 말을 걸 때, 그 손길과 어조의 질감은 어떠해야 하는가. 거기에 답해야 하는 일은 문명사의 핵심적 과제이다. 그 답변 속에는 인간이 세계를 드러내 보이는 표현이 담겨져 있어야 하고 인간과 세계 사이의 예절이 담겨져 있어야 한다. 겸재의 준들이 거기에 대답하고 있다. 그것은 세계의 실존성의 온전한 모습을 포착한다. 세계는 정지태가 아니라 운동태이며, 존재가 아니라 생성이며 고정이 아니라 떨림과 흔들림인 것이다. 그러나 개념의 파편들로 구성되는 내 언어는 겸재의 준을 따라가지 못한다. 화폭 속으로 스미지 못한다. 나는 별수 없이 스타오石濤의 글을 읽는다.

축적된 기술의 훈련이 고르지 못하면 단지 산천의 외형적 결구나 벌려진 형태만을 파악할 뿐이요, 산수의 실경에 대한 다양한 삶의 체험이 결여되어 있으면 단지 밑그림의 공허함만 간직하고 있을 뿐이다. 반드시 먼저 팔을 움직이는 것부터 배워나가야 한다. (……) 내 팔의 느낌이 실하면 붓의 자취는 착 가라앉아 침착하면서도 말갛게 투철할 것이요, 내 팔의 느낌이 허하면 춤추며 아득하게 날아가듯 유유하게 거리낌이 없을 것이다. 내 팔의 느낌이 **빠르면** 붓의 조작에 탄력성이 있으며, (……) 내 팔의 느낌이 느리면 꼭 산들이 저 멀리서 팔짱끼고 공손하게 서 있는 것 같은 모습에 정감이 넘쳐흐른다.

화가가 쓰는 준법이란 그 봉우리 자체로부터 생겨나는 것이다. 봉우리 자신은 그 자체로서 존재하는 것이며 화가가 다루는 준법의 몸됨이나 그 몸됨의 기능을 변화시킬 수는 없는 것이지만, 화가의 준법이란 오히려 봉우리의 모양과 그 모양이 발출하는 기운을 도울 수 있는 것이다. 화가가 그 봉우리 그 자체를 확연히 깨닫지 못하면 어떻게 그 봉우리가 자신을 천차만별하게 자유자재로 변화시킬 것이며 화가가 그 준법을 오랜 시간에 걸쳐 몸에 배어 있지 않게 한다면 또 어떻게 그 봉우리의 천차만별의 변화상을 드러내게 할 수 있을 것인가? (……) 다시 말해서 화가가 준법을 통해서 화면에 그 봉우리를 제대로 드러내면 그 봉우리는 화면 위에서도 살아서 끊임없이 변화를 연출할 수 있는 것이다.

화가가 붓을 놀려 먹을 나를 때에, 그 봉우리나 준법이 나타나기를 기다려 하는 것은 아니다. 봉우리의 모습이나 준법의 스타일에 대한 성견이 있어서 그것에 의하여 나의 붓과 먹이 움직이는 것은 아니다. 그것은 일획이 종이 위에 떨어지자마자 모든 획이 저절로 따라붙는 것이요, 일리가 구현되자마자 모든 이치가 저절로 따라붙는 것이다. 다시 말해서 한 획의 오감만 통찰할 수 있으면, 모든 이치를 빼놓지 않고 통달할 수 있게 되며, 산천의 형세가 그 정도를 얻으니, 옛이나 지금이나 그 준법이 다른 것은 아니다.

_『석도화론石濤畵論』 중에서, 김용옥 옮김, 통나무

겸재의 화폭을 들여다보면서, 내 당대가 잃어버린 것들, 이제 다시는 돌이킬 수 없는 것들을 생각하는 일은 가슴 아프다. 그의 화폭 속에서 풍경은 미세한 입자들로 흩어지면서 다시 모인다. 그의 미점산수米點山水의 묵점들은 나에게, 소멸해가는 일몰 동해의 빛들을 생각케 한다. 그의 화폭 속에서 나는 미점米點과 더불어 그렇게 흩어져 소멸하는 내 생애의 무산霧散을 느낀다. 그렇게 소멸하는 생애의 맞은편에서, 또다시 경험되지 않는 새로운 가능성들이 모여드는 것을 나는 느낀다. 나는 그 가능성을 자유ᄇᄈ라고 부를 터이다. 빛들이 흩어지는 일몰의 시간에, 그 자유는 언제나 헐겁고 서늘하다.

정다산丁茶山에 대한 내 요즘 생각 _ 다산초당

다산 초당茶山草堂에서 내려다보이는 강진만康津灣의 바다는 억색하다. 만을 스쳐서 초당에 와 닿는 바람은 소금기나 비린 내 혹은 질펀거리는 육질의 습기가 전혀 없다. 말라서 가벼운 바람은 동백숲이나 인간의 겨드랑 밑에서 바스락거리고 바람이 원양遠洋으로 몰려가버린 날 바다는 내륙 깊숙이 나포되어 끌려온 물의 포로처럼 사나운 산맥의 발치에 이마를 들이대고 고요하다. 강진만의 바다는, 살아서 떠나고 씻김굿 시나위 자진머리의 끄트머리를 더듬어잡고 눈먼 혼백으로 돌아오는 생산자의 바다가 아니라, 거세된 바다의 추상형이다. 원양의 거센 출렁임은 희미한 풍문처럼 이 부복한 바다의 물 위에 와 닿는데, 원양의 풍문은 강진 바다의 거죽에서 다만 명멸하는 빛의 입자로 흘러간다. 다산 초당에서는 바다와의 거리를 가늠하기 어렵다. 초당은 우거진 동백숲에 가리워 심산유곡의 적막에 가라앉아 있고, 동암東菴의 동쪽 옆으로 기진한 바다의 한자락이 끌려들어와 있다. 그 바다는 해남 목포 안좌 흑산과 수로水路로 닿는 물길이지만 강진의 바다는 이어짐의 숨통을 옥죄이면서 산맥 사이의 적소適所에 처박힌 유배의 바다이다. 그 바다는 다만 바다의 머나먼 흔적이거나 또는 환영 속의 추상일 뿐이어서, 인간의 목측을 절벽으로 가로막는 두륜산의 기세 너머 물길의 저쪽에 해남 목포 안좌 흑산의 마을과 섬들이 열린다는 지리부도를 다산 초당에서는 버릴 수밖에 없다. 바다는 마른 바람에 뒤채는 동백잎 사이에 스며들어 있다가 사람들의 들숨을 따라 몸 안으로 빨려들지만, 이 숨 속의 바다, 몸속의 바다는 목측이 자진하는 저편 연안의 바다로부터 아무런 소식도 접수하지 못한다.

정다산의 생애 속에는 사랑과 증오, 긍정과 부정의 두 줄기 산맥이 겹쳐서 뒤틀린다. 그 두 줄기 산맥 사이로 치욕의 바다는 깊숙이 밀려들어와 있다. 그의 치욕은 긍정해야 할 것들은 순결한 감동으로 긍정해버리는, 그의 운명에 대한 정직성에서 비롯된다. 서학西學이 몰고 오는 경악으로 세로世路가 험난해지고 환란이 임박하자 그는 좌부승지직을 사직하고 임금에게 올린 「자명소自明疏」에서 이렇게 말했다. 그의 상소문은 치욕을 감당해내는 맑은 울음과도 같다.

신은 마땅히 간을 발라 피를 토하고 땅에 고꾸라져 죽음으로써 일세에 이 은혜를 밝히고 만세에 이 마음을 드러내야 할 것인데, 불결한 티끌이나 뒤집어쓰고 구차하게 목숨이나 부지하면서 잔뜩 움츠리고 살금살금 눈치나 보고 있으니 다시 무슨 말을 하겠습니까? 신이 소위 양학洋學에 대해서 일찍이 그 책을 본 적이 있습니다. 그러나 그 책을 보았다는 것이 어찌 바로 죄가 되겠습니까? 말을 박절하게 하지 않으려 해서 '책을 보았다'고 하는 것이지, 참으로 책만 보는 데서 그쳤다면 어찌 바로 죄가 되겠습니까? 대개 일찍이 마음속으로 기뻐하여 사모했으며, 그 내용을 가지고 다른 사람에게 자랑한 적이 있었습니다. 본원本源의 마음자리에 기름이 스며들고 물이 젖어들어 뿌리가 튼튼히 박히고 가지가 얼기설기 뻗어나가는 것 같아서 스스로 깨닫지 못했습니다. (……)

주자朱子가 노덕장路德章에게 경계하기를 '하늘을 원망하지 말고 남을 탓하지 말며 속으로 연마하여 만년의 절개를 지키는 데 힘쓰라' 했으니, 신이 비록 불민하오나 이 말씀을

실천하겠습니다. 영달의 길에서 자취를 멀리하여 자정自靖하는 뜻을 본받고자 합니다.

_『俟菴先生年譜/丁奎英』, 송재소 옮김

그의 「자명소」는 천주교 교리의 세계관과 사유체계의 어떤 부분이 그를 그토록 '기뻐하여 사모하게' 했는지를 고백하지 않고 있다. 신身이 곧 기己라고 스스로를 때려가면서 유교 근본주의의 덕성으로 수기修己하여 치인治人함으로써 현실의 기둥을 삼았던 그가 천주교의 이원론 집적구조물을 도대체 어떻게 수용하는 것인지, 우리는 지금 말할 수 없다. 지금 말할 수 있는 것은, 그의 천주교 수용이 인식과 사유의 토대 위에서 이루어진 세계관적 전환이라기보다는, 그가 썼듯이 '마음자리에 기름이 스며들고 물이 젖어들어 뿌리가 튼튼히 박히'는 것처럼 이루어진 영혼의 삼투현상이었다는 정도일 것이다. 그리고 그렇게 말하는 것은 문제의 본질적 핵심을 종교적 모호성 속에 방치하는 결과가 될 터이지만, 필연적으로 닥쳐올 근대성 앞에서 모든 것이 기나긴 고통과 멸망의 궤적을 끌면서 무너지거나 전환되어야 할 18세기 후반 한반도의 정다산이 이스라엘의 이원론의 신神과 밀통한 속내 이야기를 정다산 자신이 아닌 그 어느 누가 검증해낼 수 있으랴.

「자명소」에서 정다산은 양립할 수 없는 사랑들을 간직한 자의 파멸적 고뇌를 토로하고 있다. 나는 임금을 사랑한다, 나는 임금에 의해 대표되는 가치와 질서와 법도와 예절을 사랑한다, 그 가치와 질서는 나를 길러준 토양이고 공기며 물이다, 그리고 나는 천주교를 사랑하고 기뻐한다, 그 새로운 세계와 영혼에 관한 책들은 '물처럼 기름처럼' 내 마음에 스몄다, 그러나 임금의 지상地上과 천주의 하늘은 양립할 수 없다, 임금은 하늘의 정의를 지상으로 끌어내려 깔고 앉으려 하고 천주는 지상의 구조물들을 거두어 하늘로 올라가려 한다, 그 두 국면의 사랑 사이에 가로놓인 이 불모의 벌판이 내 실존의 자리다, 나는 물러가겠다…… 그의 「자명소」는 그런 울음을 울고 있다. 그는 비통한 울음을 맑게 운다. 그의 울음은 햇볕이 내려쪼이듯이 양명陽明하다. 맑은 울음은 멀리 가 닿는 것이어서 그의 울음은 임금을 울렸고 성균관을 울렸다.

형틀에 묶인 정약용, 황사영, 이승훈 들은 살아남기 위하여 서로가 서로를 밀고하며 울부짖었다. 정약용의 배교는 철저하고 거침없었다. 그는 주문모를 밀고했고 천주교도를 색출하는 매우 효과적인 방법을 포청에 조언했다. 정약용이 천주교 신자가 아니라고 발뺌하자 이승훈은 자신이 정약용에게 세례준 사실을 폭로했다. 치욕은 완벽하고도 심도 있게 무르익었던

것이다. 그후 18년의 강진 유배 기간 동안 그는 자신의 생애의
한복판에 들어앉은 그 치욕에 관하여 침묵하였다.

　자산兹山은 흑산黑山이다. 나는 흑산에 유배되어 있어서
　흑산이란 이름이 무서웠다. 집안 사람들의 편지에는 흑산을
　자산이라 쓰고 있었다. 자兹는 흑黑자와 같다.
　　　　　　　　　　　_「자산어보 서兹山魚譜序」, 정약전

　흑산에 유배된 정약전鄭若銓은 그 아득한 섬의 물가에서 흑
산 바다의 물고기를 들여다보면서 16년의 세월을 보냈던 모
양이다. 정약전은 어패류 생태학 개설서인 『자산어보兹山魚譜』
한 권을 남기고 섬에서 죽었다. 그 책의 서문에서 정약전은 흑
산을 자산으로 바꾸어 쓰는 이유를 '무서움' 때문이라고 밝혔
다. 그는 마법에 걸려 있는 당대 현실이 무서워서 현실의 이름
조차 부를 수가 없었다. '자兹는 흑黑자와 같다'고 쓸 때의 그
의 통절한 절망이 그로 하여금 고등어 가자미 노래미 오징어
꽁치 병어 꼬막을 들여다보게 하는 모양이다. 그는 고등어와
가자미를 인간의 언어영역 안으로 편입시킴으로써 이 마법에
걸린 난해한 세계의 무서움을 위안하고 있었다. 고등어의 본
질을 인간의 언어로 번역해놓은 결과물과 고등어의 본질 자체

와는 무슨 하등의 사소한 관련이라도 있을 것인가. 그러나 기약 없는 섬으로 유배된 정약전은 인간의 언어로 조립된 구조물이 고등어의 핵심적 진실과 만나게 되기를 간절히 염원했던 모양이다. 인의仁義와 도덕과 지향성을 말하지 않는 그 순정한 언어 안에 대상의 진실이 담겨지기를.『자산어보』는 대상을 언어화할 수밖에 없는, 버려진 자의 외로움의 기록으로 읽힌다. 절해고도의 유배지에서 인간의 언어로 고등어를 설명하는 자가 되느니, 차라리 원양을 헤엄쳐다니는 등 푸른 고등어가 되는 편이 더 유복했으리. 정약전은 섬에서 죽었다.

강진의 유배지에서 정다산은 치욕과 두려움에 관하여 일언반구도 말하지 않았다. 나는 그의 침묵의 밑바닥을 헤아리지 못한다. 그는 자신의 사유 속에서, 맹렬한 기세로 현실을 재편성해나갔다. 그가 유배지에 꽃을 심는다.

공이 다산茶山으로 옮긴 뒤 대를 쌓고 못을 파고 꽃나무를 열지어 심고 물을 끌어들여 폭포를 만들고, 동쪽 서쪽에 두 암자를 짓고 서적 천여 권을 쌓아놓고 글을 지으며 스스로 즐기고 석벽에 정석丁石 두 글자를 새겼다. 이때에 여러 학생들에게 추이효변지학推移爻變之學, 周易을 가르쳤다.

_『사암선생연보俟菴先生年譜』, 정규영

그가 심은 꽃나무는 초당 앞마당의 자미나무, 참식나무, 동백나무, 복숭아나무 들이다. 초당의 동쪽으로 연못을 파고 계곡수를 끌어들여 물을 채웠다. 바닷가에서 도가풍의 괴석을 주워와서 연못 안에 세 개의 봉우리를 만들었다. 초당의 서쪽 산비탈을 깎아 아홉 계단의 채소밭을 일구었다. 그는 이 채소밭에 손수 푸성귀를 가꾸어 먹었다. 흑산에 유배된 형 약전에게 편지를 보내서 섬의 야생견을 삶아서 개장국으로 영양을 보충해 원기를 회복하라고 충고하면서 개를 잡는 법과 개를 요리하는 법을 소상히 써 보내기도 했다. 그의 초당은 뭍의 외곽선을 두르는 산맥과 바다 사이에 있고, 푸성귀 돋아나는 채소밭과 신선이 노는 석가산石假山 연못 사이에 있다. 채소밭에서 연못에 이르는 아득한 거리를 그는 통과해나갔다. 그는 한 발자국도 건너뛰지 않고 뚜벅뚜벅 걸어서 그 먼길을 걸어갔다. 자신의 생애의 한복판에 들어앉은 치욕을 말없이 이끌면서. 그가 천주교인가 아닌가를 따지는 후학들의 거듭된 논쟁이 이 초당에서는 전혀 무의미한 공염불로 들린다. 그는 기냐 아니냐의 구획을 넘어선 자리에서 자신의 치욕과 더불어 서 있다. 겨울의 초당은 그가 한 번도 발설하지 않은 그 치욕 속에서 적막하다. 동백꽃이 떨어져가니 복숭아꽃이 필 차례다.

낙원의 치욕 _보길도/소쇄원

정원庭園은 인공의 낙원이다. 꿈속의 낙원이라는 점에서, 인간의 마음속에 떠오르는 모든 낙원은 인공의 낙원이다. 도가의 무릉도원이나 한산습득의 천태산이나 혹은 마르크스의 국가소멸단계가 그러므로 모두 인공의 낙원인 것이다. 인간은 욕망을 사회경제적으로 정당화하고 정당화된 욕망을 제도화함으로써 낙원을 지향할 수도 있지만, 욕망의 뿌리를 제거함으로써 낙원을 지향할 수도 있다. 욕망을 제거하려는 길과 욕망을 완성하려는 길이 마음속에서 엇갈리면서 사람들의 꿈은 엎어지고 뒤벼지며, 사람들의 말은 끝없는 동어반복으로 중언부언을 거듭하고 있다.

낙원에도 낙원의 양식樣式은 존재한다. 자유를 지향하는 길목에서, 고작, 그것도 천신만고 끝에, 양식 따위가 발생하고 있는 이 인간세사間世의 풍경이 희극인지 비극인지, 축복인지 저주인지 나는 분간하지 못하지만, 그것은 필시 저주에 가까운 안쓰러운 업장임에 틀림없을 것이다. 낙원의 양식은 낙원의 자유를 다시 속박하지만, 이 속박은 그래도 견딜 만한 속박이다. 양식은 자유와 욕망 사이의 타협의 산물로 존재한다. 사실, 낙원에서 자유에 기율과 형식을 부여함으로써 낙원을 가동시키는 것은 자유 그 자체이기보다는 대부분의 경우에 그 안쓰러운 양식일 것이다. 그러므로 하나의 양식의 기율성이 헐겁고 느슨한가 혹은 팽팽하고 가파른가를 따지는 모든 논의는 근본적으로 한가하다. 양식이 낙원을 가동시킬 때, 양식은 그 양식이 욕망과 자유 사이에서 도달한 타협의 문법에 따라서 작동한다. 헐겁거나 느슨하거나 어쨌거나, 양식은 자기 원인일 리는 없다. 양식이 자족적 구조물일 리는 없는 것이다. 모든 완성된 양식은 자유와 욕망 양쪽을 속박하는 기율을 극대화함으로써 자기 원인일 리 없는 양식 자신의 기율성을 감춘다. 그때, 양식의 가파름과 느슨함은 모두 인간으로부터 멀어지고, 우리는 양식과 더불어 서늘함을 느끼는데, 이 자유의 서늘함이 곧 실락원의 슬픔이다. 여름의 소쇄원전남 담양군 남면 지곡리에서 실락원의 슬픔은 수목과 더불어 무성하였다.

소쇄원을 꾸민 사람은 조선 중종 때의 처사 양산보^{梁山甫.}

1503~1557이다. 양씨 문중의 기록에 따르면, 양산보는 17세의
나이로 당시 대사헌인 조광조^{趙光祖. 1482~1519}의 문하에 출입하
였다 한다. 그 무렵의 조광조는 삼십대의 청년으로, 이념화된
주자학의 가파른 절정에 도달해 있었다. 조광조의 낙원은 말
과 사유의 낙원이다. 조광조는 명증한 언어로 표현되는 사유
의 힘에 의해 현실을 재편했다. 그는 반정의 공로에 빌붙는 원
로대신들을 '소인배'라는 극언으로 매도하면서 기득권을 박탈
했고 소격서를 철폐함으로써 이성의 위엄을 과시했다. 말과
사유와 권력과 현실이, 조광조에게는 동일한 것이었고, 조광
조의 낙원은 그 네 개의 범주들이 한치의 어긋남도 없이 맞아
떨어져야만 비로소 가동되는 근본주의자의 낙원이었다. 이념
화된 주자학은 인간의 심성 속에서 고개를 쳐드는 욕망의 싹
을 애초에 봉쇄시켜버리는 사유의 장치를 확보하고 있었고,
그는 성현의 도와 제왕의 법으로 인륜적 가치의 절대성을 현
실역사 속에서 구현하는, 한 절대인간으로 홀로 서 있었다. 조
광조에게 왕이란 단지 사직의 계승자가 아니라, 세계의 이성
적 존재양식의 최정상에 위치하는 가치의 화신으로, 인성과
현실을 그 안에서 종합하는 절대이성이었다. 벌레먹은 '주초
위왕^{走肖爲王}'의 나뭇잎이 아니더라도 이 젊은 근본주의자는 이

미 스스로 이성의 제왕이었다.

조광조의 낙원은 훈구파 원로권귀들의 욕망의 연대에 의해 붕괴되었고, 그는 전남 능주의 유배지에서, 원로권귀들이 왕을 경유해서 내려보낸 사약에 처형되었다. 향년 37세.

젊은 조광조가 어린 양산보에게 베푼 교학의 내용이 어떤 것이었던가는 양씨네 문서에 기록되어 있지 않다. 아마도 어린 양산보는 조광조의 도포자락에서 휘날리는 이성과 사유의 강파른 위엄에 압도되어 있었을 것이고, 사유의 힘으로 세계의 질서를 재편해나가는 젊은 스승의 아름다운 권력과 그 권력이 현실 속에서 가동되는 일대장관을 숨죽이며 바라보고 있었을 것이다.

젊은 스승의 낙원이 붕괴되자 양산보는 지체없이 낙향하였다. 양산보는 한 작은 강산의 서늘하고 깨끗한 물가에 자신의 낙원을 차렸다. 그는 다시는 대처의 땅을 밟지 않았고 세상 잡사를 글에 담지 않았다. 그는 다만 돌과 나무와 물줄기를 끌어모아 소쇄원을 꾸몄다. 소쇄원에서는, 세계를 혹은 풍경을 관찰하고 해석하고 거기에 관하여 말을 하는 주체로서의 자아의 입지와 위상이 물리적 공간의 거죽으로 돌출되지 않는다. 그러므로 소쇄원에서는 어떤 풍경이나 정자나 나무도 그것을 바라보는 자의 위치나 시선의 각도로부터 자유롭다.

소쇄원에서는 관찰과 해석이라는 것이, 인간이 세계에 가하는 일방적인 타작행위가 아니다. 정원 입구의 대숲 오솔길 옆에는 대봉대台鳳台라는 초가 정자가 있다. 거기서 바라보면, 계곡 수 건너편 내원 쪽으로 제월당霽月堂, 광풍각光風閣, 두 건물이 복사나무, 자미나무, 단풍나무의 숲 사이에 들어앉아 있다. 대봉대에서 바라볼 때, 숲속에 들어앉은 제월당과 광풍각이 하나의 풍경이지만, 제월당이나 광풍각에서 바라볼 때는 백일홍 숲에 쌓인 대봉대와 그 옆의 작은 연못이 또다른 풍경이다. 소쇄원에서는 어떠한 관측소도 풍경 전체를 일방적인 사정거리 안에 두지 않는다. 소쇄원의 어느 구석을 어슬렁거려보아도, 인간의 움직임에 따라 새로운 관측소가 형성되고, 좀 전의 관측소는 스스로 소멸하여 풍경 속으로 편입된다. 풍경은 흘러가면서, 새롭게 바뀌고, 풍경을 구성하는 요소들은 사물로서의 완강함을 버리고 존재의 껍질로부터 풀려난다. 입구의 오솔길을 따라서 대봉대를 지나 좀더 올라가면 애양단愛陽壇 마당에 닿는다. 이 마당의 공간적 기능은 소쇄원 안의 여러 정자와 오솔길에 이르는 접근로이며, 정원 전체를 한 시선에 들여앉힐 수 있는 중앙관측소인 셈이다. 억지로 말하자면 '광장'인 셈인데, 그러나 이 광장은 중앙에 위치하지 않고 정원의 맨 북쪽 가장자리에 치우쳐 있다. 애양단 마당은 '중앙'의 기능을 수행하면서, 그 기능 자체를 물리적 공간으로부터 감추고 있다. 그 중앙은 먼 풍경들을 통괄하거나 조감하는 중앙이 아니다. 애양단 마당의 '중앙'은 스스로가 풍경의 일부로서의 숨어 있는 중앙이며, 감추어진 기능적 중앙인 동시에 스스로 하나의 변방 풍경이다. 이 북쪽 변방이 양지발라서 겨울에 계곡수가 꽁꽁 얼어붙을 때도 이 마당에는 햇볕이 자글자글 끓고 있다고 해서 애양愛陽이라고 이름지었다 한다. 서늘함, 깨끗함, 헐거움, 성김, 그리고 성긴 숲속의 어둑시근한 빛들의 풀어짐, 그런 느슨한 공간으로부터, 양명하게 드러나는 빛들이 그리울 때 그 정원의 사내들은 이 애양단 마당을 찾았을 터이다. 애양단 마당은 소쇄원의 공간적, 기능적 중앙이지만, 그 중앙은 단지 햇볕만을 기다리고 있는 겸손한 중앙이다. 살구나무 한 그루가 그중의 한 구석에 심어져 있다. 계곡수는 소쇄원 담 밑으로 초청되어 사행으로 정원 안을 굽이쳐 내리다가 대숲 사이를 빠져나간다.

낙원은 자유의 패러디이다. 헐거운 양식, 감추어진 양식은 낙원이 패러디라는 운명 자체를 감추려 한다. 감추어지는 운명이란 없다. 양산보는 젊은 스승 조광조로부터 얼마나 멀리 흘러왔는가. 양산보는 그렇게 흘러서 조광조와 매우 가까운 곳에 소쇄원을 차린 셈이다. 저녁 어스름 속의 소쇄원에서 나는 사약 한 사발에 피를 토하고 죽은 조광조의 혼백이 풀 먹인 도포자락 휘날리며 무어라고 쉴새없이 중얼거려대면서 제월당 뒤쪽 숲을 거니는 환영을 보았다.

병자호란 때 남한산성으로 쫓겨간 임금이 삼전도로 내려와서 청태종에게 투항하자, 해남에 은거해 있던 윤선도尹善道. 1587~1671는 지체없이 배를 내어 섬으로 향했다. 윤선도의 배는 치욕의 육지 맨 끝, 토말土末에서 출항했고, 육지의 한복판에서 임금은 치욕을 수용하는 용량을 극대화함으로써 창민과 국토를 겨우겨우 보존했다. 임금이 인욕의 붉은 옷을 걸치고 성문을 나설 때 눈 덮인 겨울 산성에 통곡소리 가득했으나, 울기는 쉬운 일이었고 살아남기는 어려운 일이었다.

윤선도는 추호의 머뭇거림도 없이 치욕의 땅을 버렸다. 그는 제주도를 행선지로 삼아 바다로 나아갔는데, 항해 도중 보길도에 당도하여 섬의 그윽함과 깊숙함이 '숨어살기에 적합하다'고 여겨 보길도에 정착했다고 한다. 그의 행선지가 딱히 제주도는 아니었던 모양이다. 육지의 치욕이 미치지 않는 맑은 땅, 밖에서 안이 들여다보이지 않는 오목한 땅이라면 그는 어디에건 자신의 낙원을 꾸밀 수 있었다.

윤선도의 보길도 부용동芙蓉洞낙원은 주거의 자리인 낙서

재樂書齋, 놀이의 자리인 마을 어귀의 세연정洗然亭, 그리고 낙서재 맞은편 산중턱의 동천석실洞天石室로 구성되어 있다. 동천석실은 산중에 은거하는 신선의 처소이다. 낙서재 뒤의 병풍바위를 그는 소은병小隱屛이라고 이름지었다. 대은大隱은 저잣거리 민중 속에 처하고 소은小隱은 산속에 숨는다는 옛 시를 윤선도는 풍자적으로 자기화하고 있다. 동천석실의 건축물로서의 실용적 기능이 무엇이었는지는 확실치 않다.

한나절쯤 들어앉아 책을 읽다가 끼니 때가 되면 다시 집으로 돌아오기에 적합한 거리이다. 그러나 동천석실은 독서의 자리라기보다는 풍경 전체를 인도하는 형이상학적 상징물인 듯싶다. 낙서재와 동천석실 사이에는 민생의 들이 펼쳐져 있다. 그 들판은 낙서재나 동천석실에 공간적으로 소속되는 들이 아니다. 그러나 동천석실의 존재는 그 들판을 기획된 공간 안에 끌어들이면서, 그 기획의도를 감춘다. 윤선도는 거점과 거점 사이의 큰 공간을 비어 있는 채로 놓아두면서, 그 공간을 다시 거점들이 이루어내는 구도 안으로 편입시킨다. 그때, 민생의 들이라는 삶의 현장은 형이상학적 질서 안으로 흡수되어 자리잡는데, 그렇게 말하는 것은 물론 동천석실에서 들을 내려다보는 사람의 언어이다.

마을 어귀의 세연정은 놀이의 공간으로, 윤선도의 보길도

유적지들 중에서 가장 큰 공력과 재력이 바쳐진 곳이다. 계곡수를 막아 연못을 만들고 그 주위에 정자를 지었다. 연못 안에 거석들을 들여앉혔는데, 이 거석들은 풍경 전체에 도가풍의 위엄과 서늘함을 부여하고 있다. 돌이란 도대체 무엇인가. 돌에 도가풍의 위엄이 본래적으로 내재되어 있을 리 없다. 돌은 유, 불, 선 그 아무것도 아니다. 돌은 무의미한 돌이다. 그러므로 세연정 연못 안의 돌의 의미는 그 연못을 만든 사람이나 그 연못을 관찰하는 자들이 부여한 의미이다. 무의미한 것들에 의미를 가량하는 자들의 시선이 닿을 때, 무의미한 것들은 사물성의 벽에서 풀려나 언어의 사슬을 끊어버리고 날아오르기 시작한다. 세연정 연못 속의 돌들은 그렇게 흘러간다. 그는 이 연못에 배를 띄우고 스스로 지은 「어부사시사」를 노래 불렀다고 한다.

앞 뫼히 지나가니
뒷 뫼히 다가온다
(……)

언어도 그처럼 흘러간다. 말은 바람처럼 스쳐갈 뿐이다. "앞 뫼히 지나가니 뒷 뫼히 다가온다"라고 말할 때, 말은 개념의 정립이나 의미의 전달에 기여하는 것이 아니라, 개념과 의미의 소멸, 혹은 개념과 의미로부터의 이탈에 기여한다. 배를 타고 가면, 앞산이 지나가면 뒷산이 다가오게 마련이다. 그것은, 날이 저물면 어둡고 날이 새면 밝는 것과 같다. 「어부사시사」의 언어는 시간의 본질에 접근한다. 언어는 개념의 벽을 뚫고 나와, 흘러간다.

윤선도는 향년 85세로 부용동 낙서재에서 죽었다. 그는 세 차례에 걸쳐 유배되었다. 그의 유배기간은 모두 20년에 달했고 유배지는 함경도 경원 혹은 삼수갑산 같은 극지였다. 그는 유배와 유배 사이의 19년을 보길도나 해남에서 은둔했다. 은둔의 사이사이에 그는 또다시 격렬한 언어를 동원하여 당대 현실을 공격했고, 그 결과는 또다른 유배였다. 보길도가 윤선도의 낙원인지, 아니면 함경도 경원과 삼수갑산이 윤선도의 낙원인지 보길도에서는 가늠하기 어려웠다. 당대 현실의 양쪽 극지에 보길도와 삼수갑산이 있다. 보길도에서 삼수갑산의 거리는 멀고 멀다. 그의 낙원은 아마도 그가 한 번도 발붙일 수 없었던 '당대 현실' 안에 혹시 있다면 있을 터이었다.

도망칠 수 없는 여름 _강진

산사山寺의 어린 수도자들은 골짜기의 시간과 공간을 맹렬한 속도로 회전시키는 매미 소리의 자지러지는 무의미에 주리 틀리어져, 읍내 다방으로 쫓겨나와 있었다. 공문空門의 언저리에 빌붙는 저 가엾은 거렁뱅이 셋은 칼피스를 시켜놓고 앉아서 이 동네 저 동네의 작설차 맛과 이 환쟁이 저 환쟁이의 붓끝의 들뜨고 가라앉음에 관하여 온갖 곰살맞고 잔망스런 이야기들을 해대며 시간이 새로워지지 않는 재앙으로부터 피난해 있었는데, 그 피난처라는 곳이 바로 고여서 썩는 시간의 고름집이어서 그들은 피난으로서 재앙을 완성시키고 있었다. 여름 해는 늘어지게 길고도 길어서 저들이 비워놓고 떠나온 산사에는 오직 매미 소리만이 시간의 거죽 위를 폭포수처럼 미끄러져 쏟아져내려올 뿐, 시간이 도무지 새로워지지 않는 이 문둥

병 속에서 돈오와 점수는 서로가 애꿎은 서로를 멸거해가면서 시간의 바깥쪽으로 함께 무너져내리는 것이었는데, 장맛비로 엉클어진 쑥부쟁이의 뜰 위에서 사천왕들은 어쩌자는 것인지 중생의 팔다리를 비틀어 꺾고 눈알이며 혀를 뽑아내고 있었다. 사천왕들의 시급한 당면과제는 죄 많고 겁 많은 중생들의 두개골을 방천화극으로 내리찍는 일이 아니라, 중 떠난 여름의 빈 절 마당에 다만 들쭉날쭉한 쑥부쟁이를 키워올려놓을 뿐인, 저 시간들의 순결하고도 치매한 불모를 쳐부수어야 하는 일, 그래서 시간의 순결에 인간의 피를 발라서, 그 시간을 더럽히고, 더럽혀진 시간을 인간의 안쪽으로 투항시켜야 하는 일일 터인데, 중생의 두개골을 까는 사천왕의 화극의 날 사이로 투항하지 않은 시간들은 매끄럽게 빠져나가던 것이었다. 여름 산사의 안뜰 쑥부쟁이밭에서 시간의 대열을 투항시키지 못하는 사천왕의 미친 화극은 미미한 빈대들이나 때려잡고 있는데, 시간 속으로 진입 불가능한 슬픔과 시간 밖으로 탈출이 불가능한 환란으로부터 겨우 몸을 피해 도망쳐나온, 중옷을 걸친 저 가엾고 어린 중생들이 읍내 다방에 모여 이 동네 저 동네 작설차 맛의 온갖 잔망스러움을 이야기하고 있을 때, 저 공空의 풋것들이 빚어내는 풍경은 안쓰럽되 오히려 다행스러웠다. 그해 여름, 내가 남쪽 산악 속의 폐사廢寺들을 떠돌아다

68

닐 적에, 인간 쪽으로 다가와 섞이지 않는 쑥부쟁이와 사금파리의 시간들 속에서 8만4천 경전을 목놓아 외우는 소리는 다만 빈 깡통을 두드리는 무내용한 음향으로서, 인적 없는 시간의 골짜기를 개울물 흘러내리듯이 그렇게 하릴없이 흘러내릴 뿐이었다. 나는 못 볼 것을 기어코 보아버린 내 눈을 저주하였으나, 저주받은 내 두 눈을 다시 앞세우고 저 목불인견의 풍경에 기어코 내 시선을 들이대기 위하여 우기의 산악 속을 헤매었다. 그러므로 내 두 눈에 걸려야 할 저주는 두 겹이 되어야 마땅하리라.

시간이 새로워지지 않는 병은 골수염, 관절염, 사지무력증, 심신황폐증, 언어의 발기불능증, 언어증발증, 그리고 머릿속에서 아무런 질서나 개념에도 도달할 수 없는 무슨 파충류 같기도 하고 시조새 같기도 한 지층시대의 웬 짐승이 이를 갈며 울어대는 듯한 울음이 끝도 없이 들려오는 치매성 이명증과, 또 머릿속에서 현실의 모든 치고받는 짓거리며 엎어지고 뒤벼지는 뒤채임들이 도무지 코흘리개의 장난만한 무게로도 자리잡지 못하는 황폐성 중량 불감증과, 숨을 곳이라고는 전혀 없이 이 모든 괴질들을 양명하게도 까발리는 폭양의 물가에서 풀을 뜯는 새카만 암염소의 하초를 향하여 바지를 까내리고 달려들 것만 같은 금수충동증…… 온갖 치매의 합병증과 병발증을 난만하게도 불러일으켜놓았는데, 그해 여름 나는 그 모든 치매에 이끌리어 강진으로 떠들어왔다.

강진은 아름다운 강산이었다. 내 종합적 치매 속에서, 어째서 그 '강산'을 향하여 '아름답다'고 말할 수 있게 되는 것인지, 내 인후에서 내뱉어진 '아름답다'는 말은 치매가 강산을 배반하는 또다른 병후는 아닐는지, 나는 알 수 없었다. 알 수 없으되, 강진만의 바다는 따스한 요니女陰처럼 육지를 파고들어 조붓하고 아늑하였다. 등 푸른 여름 산맥들이 그 요니의 바다를 따라서 만의 하구로 치닫고 있었다. 공룡의 앞발을 치켜올린 듯이 가파르고 사나운 봉우리들은 멀어서 아득하였고, 유순하고 올망졸망한 봉우리들과 헐거운 산허리들은 인간 쪽으로 가까웠다. 지고한 것들로부터 흘러내려 마침내 유순한 것에 이르는 산맥의 굽이침과 흔들림이 그 바다의 언저리를 이루어, 지고한 봉우리들은 인간을 능멸하거나 찌를 듯이 덤벼들지 않았고 유순한 봉우리들은 방자하게 촐싹거리지 않았다. 들의 펼쳐짐이 다하는 먼 가장자리에서 강력하게 몸을 일으키는 산의 세력들은 젊은 준마처럼 갈기를 휘날리며 바다를 향해 내달렸고 산의 세력들이 잦아들면서 다시 한 세력을 치켜올리는 허리춤을 돌아나가면, 거기에 산은 또다른 들을 펼쳐놓고 있는 것이어서 산의 가로막힘과 들의 펼쳐짐은 끝도 없이 포개지며 계속되었다.

산과 들의 그 열리고 닫히며 솟고 잠기는 무자맥질의 구석구석에 바다는 기어들어와 있었다. 긍정의 시간이 그 강산 위에 비처럼 내려, 강산은 수억만 년의 과거와 더불어 새로웠다. 그 강산에 내리는 시간은 그 강산의 굽이치고 휘어짐을 긍정하고 있었다. 강산은 풍화의 모든 순간에서 새로웠고, 강산은 시간을 통과하되 시간에 예속되지 않았다. 강산은 명증하였다. 강산은 현저하였다. 그리고 바다는 명증의 절정이며 보편이었다. 바다는 명증하였으나, 바다의 명증은 바다와 그 바다가 누리는 시간 사이의, 저희들끼리의 명증이었으며, 바다의 명증은 그 명증성을 들여다보는 자와의 차단의 명증이었다. 그러므로 바다의 '명증'은 그것을 '명증'이라고 말하는 자의 혼돈이며 암흑이며 치매였다. 그 암흑의 바다는 햇빛 아래 반짝였다. 한낮의 바다는 물의 표면 위에 가득히 내려앉는 시간의 미립자들을 물 속으로 받아들이거나 혹은 튕겨내면서, 생성하고 소멸하는 수많은 빛과 색으로 명멸했다. 강진의 여름 바다에서, 공간은 시간을 불러들여 공간성을 완성하는 것이었는데, 시간과 공간이 서로 손짓하고 스며드는 접경에는 아무런 자취가 없었다. 시간과 공간의 범주에 속하지 않는 어떤 곳에 사유의 질서를 건설하는 것, 그것이 자유다, 라고 그 명증한 여름 바다 앞에서 내 치매한 마음은 울부짖었으나 그 울음은 시간이 새로워지지 않는 병을 앓는 파충류나 시조새의 울음일 뿐, 말로 환생될 수 없었다. 나는 말을 거느리고 바다의 명증성에 도달할 수는 없었다. 바다와 그것을 바라보는 자, 혹은 거기에 대하여 '명증하다'라고 말하는 자 사이에는 한바탕의 무간지옥이 펼쳐져 있었다. 바다가 명증하거나 말거나, 거기에 관하여 말하는 것은 주제넘은 일이었다. 나의 시급한 당면문제는 산사山寺의 쑥부쟁이와 매미 소리로부터 피난가는 저 공문空門의 거렁뱅이들을 따라서, 나와 바다 사이의 그 무간지옥으로부터 우선 몸을 피하는 일이었다. 나는 바다의 명증에 손 한번 대보지 못했다. 나는 그것을 곱게, 그 주인의 몫으로 돌려주었다. 저물어서 나는 숙소로 돌아왔다. 내가 등을 돌릴 때, 썰물의 바다는 아득히 빠져나갔고, 펄의 물고랑 위에 저녁의 성긴 시간이 내리고 있었다.

내 숙소는 지방대학에서 서양화를 가르치는 것으로 호구를 삼는 가난뱅이 화가의 집이었다. 여름에 그는 집 앞으로 펼쳐진 바다와 산맥을 그리고 있었는데, 그의 화폭은 연필로 그린 밑그림뿐인 채로 여름 내내 색을 얻지 못하고 텅 비어 있었다. 그의 화업畵業이란 저녁 무렵의 바다를 한나절씩 들여다보는 일뿐이었다. 시간과 교접하는 바다는 수많은 색깔로 다만 흘러가고 흘러올 뿐이어서 내 가엾은 친구는 올 여름 내내 기름 물감을 배합하지 못하고 있었다. 선택은 곧 배반일 것이었다. 유화를 버리고 수묵화를 해야 할까보다고 그는 혼잣말처럼 중얼거렸다. 기름으로 그리기를 버리고 물에 찍어서 그려보아야 겠다는 것이었다.

"이 사람아, 그것은 물이냐 기름이냐의 문제가 아닐세."

나는 퉁명스럽게 쏘아붙였다. 그가 보해 막소주 됫병 하나를 들고 왔다. 우리는 그 밍밍한 소주를 마셔가며 이 동네 저 동네의 작설차 맛과 이 환쟁이 저 환쟁이의 붓끝의 들뜨고 가라앉음에 관하여 온갖 잔망스런 이야기들을 늘어놓았다. 더위와 매미 소리가 한도 없이 남아 있는 여름의 한복판이었다.

산유화 _ 북한산

색色에 대한 인간의 애착이란 하도 간살맞은 것이어서, 봄 산의 물가에서 움트는 어린 나무들 중에서도 특별히 사랑스러운 나무가 따로 있다. 대체로 편애의 근거는 검증되지 않는 것이기는 하지만, 내가 편애하는 나무는 쓰잘데없이 이리저리 가지를 뻗지 않고 요긴한 몇 개의 가지만을 단정하게 경영하는 내띕의 나무다. 어떤 고매한 나무들은 천인단애의 바위틈에 운명의 입지를 정하고 바위가 허용하는 그 빈한한 수분에 의지하여 한 생애를 그곳에 세운다. 그 나무들은 동반자 없는 그 절벽 위에서 홀로 꽃 피우고 잎 떨구며 눈비를 맞는다. 그런 나무들은 산 아래 계곡, 물 좋고 양지바른 곳에 터전을 잡은 팔자 좋은 나무들처럼 끼끗하고 윤기 있게 퍼지는 것이 아니라, 옹이지고 뒤틀린 밑둥과 가지 속에 운명의 척박함을 스스로 갈무리한다. 〈완당 세한도阮堂歲寒圖〉 속의 나무는 삶 속에 수용된 척박함의 순수이념형이다. 〈세한도〉 속의 나무는 그 순수이념의 힘으로 운명의 척박함을 제압하고 이념의 가파른 정상에 선 우뚝한 나무이지만, 그 나무는 척박을 제압하되, 제압이라는 고통스런 마음의 과정을 드러내지 않는다. 그 나무들은 추위의 한복판에 서 있는데, 추위는 다만 그림의 여백을 채울 뿐 아니라, 나무들을 그처럼 가파르고 우뚝하게 하는 이념의 토양으로 작용하고 있다. 추위와 나무 사이에 인간의 삶(집)은 놓여진다. 〈세한도〉 속의 집은 다 발라먹은 생선가시처럼 가지런한 잔해만으로 세워져 있다. 그 집은 원근이나 시점의 사실성으로부터도 떠나 있다. 집의 정면은 앞에서 보는 시점이고 측면은 옆에서 보는 시점이다. 그 두 개의 조화롭지 못한 시점이 한 줄의 용마루 선으로 연결될 때, 그 집은 바라보는 자의 내면에서 부러지고 뒤틀린다. 내면에서 부러진 것들을, 아무 일도 없었다는 듯이, 한 줄기 목메인 먹의 흔적으로 연결시키는 완당阮堂의 갈필은 그 흔적을 바라보는 자의 마음을 억압된 고통으로 옥죄인다. 완당은 가장 사소한 붓질만으로 그 부러진 것들을 잇는다. 용마루에 가 닿는 그의 붓은 먹을 실어날라 종이를 적시겠다는 능동적 조형의지를 전혀 드러내지 않는다. 그는 마른 붓을 들어 한번 긋는 그 빈 손놀림으로, 가득 찬 내면의 핵심적 진실을 삽시간에 관통해버린다. 그렇게 해서 육질의 속됨을 벗어던진 삶은 이념의 뼈대만으로 가지런하고, 나무들은 그 가지런한 삶 위로 높고 가파르고 우뚝하다.

〈세한도〉를 들여다보다가 나는 또 길을 잃었다. 〈세한도〉를 말하려던 것이 아니었다. 나는 내 편애에 관하여 말할 참이다. 물 오르는 봄 이파리들의 반짝임이나 꽃 핀 나무들의 어지러움을 속된 것이라고, 덧없는 것이라고, 〈세한도〉의 가파른 나무들은 말하고 있는 것 같지만, 세상의 빛과 색에 기갈들린 나는 결국 〈세한도〉 속 추운 나무들의 가파른 높이를 감당하지 못한다. 이념화된 나무들은 나를 찌른다. 그 나무들은 완강하고도 헐겁다. 그 나무들은 시간의 흐름으로부터 일체 떠난, 그래서 춘하추동과 생로병사가 돌고 돌지 않는 어떤 절대공간 속의 나무들이다. 그리고 그 절대공간은 인간의 마음이다. 〈세한도〉의 나무들은 인간의 마음속에 뿌리를 박고, 인간 정신의 고혈을 빨아먹고 자라는 나무다. 마음속에 저러한 나무 한 그루 키우기 위하여 빨려 먹히워야 할 고혈을 나는 감당하지 못한다. 하는 수 없는 것이다. 나는 내 생로병사로 더불어, 나무의 생로병사에 내 몸을 비빈다.

봄 산의 물가에서 모든 엽록소들은 개별적이다. 신생新生한 이파리의 어린 엽록소들은 빛과 물을 빚어서 유기물을 합성해 내는 것이라고, 식물학 책에는 쓰여져 있는데, 나무의 내부에서 그 '빚어짐'이 어째서 가능한 것인지, 그 '빚어짐'은 사실상 어떤 회피할 수 없는 충동에 의하여 이루어지는 것인지, 왜 '빚어지는' 것인지, 그 빚어짐을 가능케 하는 시간과 빛의 은밀한 작용의 질감은 어떤 것인지를 말할 수 없는 한, 내가 읽은 식물학 개론은 결국 '산 나무는 살아간다'는 이 단순 명료한, 하나 마나 한, 그러나 그렇게밖에 말할 수 없는 외마디 비명의 가엾고도 지루한 동어반복이었다. 그러므로 나무가 해독되기 위해서는 나무 자신이 입을 벌려 나무의 언어로 무슨 말인가를 말해야 할 것인데, 나무는 본디 말을 하지 않는 것인지 혹은 온 산이 수런거리도록 나무들이 해대는 말이 인간의 귀에 와 닿지 않는 것인지 나는 알 수 없다. 나무의 운명의 속사정을 짐작도 하지 못하는 자가, 봄날 물가에서 움트는 어린 나무들 중에서도 한 단정한 나무를 마음속에 들여앉히는 편애는 마침내 청맹과니의 사랑일 테지만, 사랑은 청맹의 사랑이어도 하는 수 없다. 산이 시간의 부스럼으로 피어나는 봄날, 내 눈먼 편애의 나무는 두어 가닥의 줄기와 가지 위에 개별적 엽록소로 반짝이는 이파리 몇 개를 달고 물가에서 비린내를 풍기고 서 있었던 것이다.

숲이 우거지고 산이 더운 육질의 숨결을 내뿜는 여름날, 나는 내 물가의 나무를 잃는다. 여름 산의 물가에서 그 나무는 냉큼 찾아지지 않는다. 가지들이 움트던 봄날의 기억에 매달려 겨우 찾아내도, 그 나무는 이미 봄날의 개별적 단독자가 아니다. 여름 산의 힘센 통섭統攝은 모든 나무들 속에 스며들어, 내 어린 나무는 온 산에 가득찬 푸르름의 보편성 속으로 가지를 뻗고 있다. 그리고 그 나무는 저 자신의 개별적 단독성을 여름 산의 푸르름 속에 합치시키는 기쁨의 빛으로 자신의 개별성을 다시 확보하고 있었다. 내 잃어버린 나무는 자신의 단독한 존재로서 푸르름의 보편을 이루고, 다시 그 보편한 푸르름을 받아들여 개별의 삶을 세우던 것이었다. 여름의 산속에서 나는 멀리 제 갈 길을 가버린 물가의 나무로부터 돌아선다. 저물어서 하산할 때 내 마음속에는 저 〈세한도〉 속의 나무도 그리고 봄날 물가에 서 있던 내 편애의 나무도 자라나지 못했고, 저녁 산사山寺의 쇠북 소리가 미점米點의 수묵水墨을 뿌린 헐거운 박모의 시간을 건너 아득한 저쪽 대안對岸으로 흘러가고 있었다.

우이동에서 진달래 능선을 따라 대동문 쪽으로 올라가노라면 인수봉, 백운대 노적봉이 돌연한 기세로 오른편 시야에 나타난다. 그 바위봉우리들은 아무런 예고도 조짐도 없이, 문득 나타난다. 진달래 능선과 그 바위봉우리들 사이에는 수목에 뒤덮힌 넓은 분지가 가로놓여 있어서, 능선에서 바라다보면 바위봉우리들은 그 밑둥부터 꼭대기까지, 거대한 나신裸身을 서슴없이 드러낸다. 진달래 능선에서는 바라다보이는 바위봉우리들의 색깔을 말하기 어렵다. 겸재謙齋는 비 개이는 인왕산을 그리면서 인왕산 치마바위를 잘 젖은 흑색의 묵찰墨擦로, 비질을 하듯이 쓸어내렸다仁王霽色. 겸재는 흰 바위를 검은 바위로 바꾸어놓되, 그 습윤한 묵찰의 붓질로 화폭의 배면背面 밑바닥까지를 적시었다. 겸재의 화폭 속에서 바위의 붓질은 마르지 않고 그대로 남아 물에 젖은 채 햇빛에 빛나는 바위의 질감을 드러내는데, 결국 겸재의 흑색은 흑색이 아니라 화폭의 배면 그 너머에 있는 백白을 우려내는, 생성生成과정을 흘러가는 흑색이다. 그 흑색은 색상배열표 속에서 매우 불안정한 흑이지만, 그 흑은 그 불안정성 안에 흑과 백의 모든 가능성을 수용한다. 겸재의 흑은 백을 배척하지 않는 흑이다. 그 흑은 화폭의 배면 그 너머에 존재하는 백에 의하여 화폭의 표면으로 떠밀어올려지는 흑이다.

북한산 진달래 능선에서, 인수봉과 노적봉의 바위 색깔은 흑에서 백으로인지, 혹은 백에서 흑으로인지 행선지를 알 수 없으되, 무시무종無始無終의 생성과 소멸을 윤회하고 있다. 겸재의 흑이 그 배면의 백에 의해 떠밀려 오르듯이, 저 바위봉우리들이 그 내면을 흐르는 시간에 의하여 색色의 윤회를 거듭하는 것이라 해도, 어찌 사람의 시선으로 인수봉과 노적봉의 계면界面을 수박 열듯이 열 수가 있으랴. 진달래 능선에서 등산로를 버리고, 잡목숲을 헤치고 계곡으로 내려와 분지를 건너면, 인수봉과 노적봉의 발치에 닿는다. 그 발치에서 올려다보면 인수봉과 노적봉은 하늘을 향해 거꾸로 처박힌다. 인수봉의 암반들은 젖은 붓을 눌러서 쓸어내린 몰골沒骨의 바다로 확대되고 노적봉의 암벽선은 붓을 도끼처럼 하늘에 내리찍을 때 쪼개져내리는 도끼의 기운으로 치달아 하늘에 꽂힌다. 대상을 글이나 먹으로 고정시킨 것은 글이 아니며 그림이 아닐 터이다. 하늘에 꽂힌 인수봉과 노적봉은 고개를 젖히고 올려다보는 나에게 입 닥쳐라 입 닥쳐라, 한다. 바위봉우리들은 땅에 들러붙어 완강했고, 풍화의 시간 속에 몸을 맡겨 헐거웠다. 그 꼭대기에서 바위는 시간 속으로 풍화의 뭉게구름을 피워올리고 있었다. 나는 꼭대기 그 너머 하늘을 쳐다보면서 땅 위에 거꾸로 서 있었다.

산에는 꽃 피네
꽃이 피네
갈 봄 여름 없이
꽃이 피네

산에
산에
피는 꽃은
저만치 혼자서 피어 있네

산에서 우는 작은 새여
꽃이 좋아
산에서
사노라네

산에는 꽃 지네
꽃이 지네
갈 봄 여름 없이
꽃이 지네

라고 김소월이 썼을 때, '산'은 인간이 손 한 번 대볼 수 없는, 해독되지 않는 막막한 자연공간이다. 피다, 지다, 살다, 울다, 이 네 개의 자동사의 흐름을 따라서 이 시는 흘러가고 그 흐름 위에 산, 꽃, 새, 갈 봄 여름 같은 몇 개의 명사들이 떠서 흘러간다. 그 자동사들은 이 세상의 어떤 부분도 조이거나 거머쥐지 않는, 무력한 자동사들이다. 그 자동사는 다만 주어의 운명을 드러내는 형용사 혹은 부사의 질감만으로, 떠 있다. 그러므로

산에는 꽃 피네

를 '산에는 꽃/피네'라고 읽는 것이 구문의 논리에 맞는 독법일 테지만, 내 모국어의 숨결은 그 문장을 '산에는/꽃피네'로 읽는다. 그때 '꽃이 핀다'는 진술 전체는 한 개의 독립된 자동사가 되어 '산'의 운명을 드러낸다. 그 운명 안에 '꽃/피네'의 구문의 논리가 녹아들어 있다. 모든 구속력을 풀어헤쳐버린 자동사 '피다'의 그 무기력하고도 헐거운 자유가 한 개의 자동사의 관할구역을 한없이 넓혀가면서 그 넓어진 구역 안에 산, 꽃 두 개의 주어의 운명을 가지런히 공존시킨다. 피고 지는 것은 꽃의 운명이기도 하고 산의 운명이기도 하다. '산에는 꽃 지네'라고 말할 때도 마찬가지이다. 산과 꽃은 '피다'와 '지

다'의 두 운명의 거리를 오직 적막과 침묵만으로 건너간다. 그 때 '피다'와 '지다'는 전혀 모순된 운명이 아니다. '피다'와 '지 다'는 정반대의 외양으로 표출되는, 동일한 운명의 속성일 뿐 이다. 말의 구획은 줄어서 없어지고, 풀어헤쳐져서 스스로 소 멸한다. 말의 구획이 죽어버린 산의 공간 속을, 갈 봄 여름이 흘러간다. 그 갈 봄 여름 속에서 꽃은 피고 지고 새는 살고 또 운다. 산에 '있는' 것은, 인간이 손댈 수 없는 갈 봄 여름뿐이 다. 그 갈 봄 여름을

　　갈 봄 여름 없이

라고 썼을 때, 갈 봄 여름은 인간의 관할구역 밖을 흐르는, '없 는' 갈 봄 여름이다. 그 산은 전인미답의 산이며 아직도 인간 이 오르지 못하는 산이다. 그 산을 흐르는 '갈 봄 여름 없는' 시간도 역시 그러하다. '작은 새'는 그 시간과 공간 속에서 울 거나 혹은 '산다'. 그 새는 '울다'와 '살다'가 동일어인 삶을 살 아간다. 그리고 꽃은 피어나듯이 져버린다. '꽃이 좋아' 산에 서 우는 작은 새는, '피다'와 '지다'가 동일한 운명이므로, 꽃 이 진 후에도 여전히 산에서 살거나 울 것이다. 산과 꽃과 새 와 갈 봄 여름이 인간의 밖에서 피고 지고, 흘러간다. 인간은

어디에 있는가, 인간의 자리는.

　산에는 꽃 피네

라고 말할 때, 산과 꽃의 밖에서 그 만질 수 없는 것들을 다만 바라보는 자의 진술형 종결어미, '꽃 피네'의 '네', 이 한 글자 뿐이다.

　산에 오를 때, 나는 결국 산에 오르지 못한다. 오르지 못한 산을 다시 내려와 나는 마을로 돌아온다. 돌아보면, 산의 꼭대기에서 풍화의 구름은 피어오르고 있다.

돌 속의 사랑 _ 남해 금산

한 여자 돌 속에 묻혀 있었네
그 여자 사랑에 나도 돌 속에 들어갔네
어느 여름 비 많이 오고
그 여자 울면서 돌 속에서 떠나갔네
떠나가는 그 여자 해와 강이 끌어주었네
남해 금산 푸른 하늘가에 나 혼자 있네
남해 금산 푸른 바닷물 속에 나 혼자 잠기네

_이성복 「남해 금산」 전문

'한 여자'는 살아 있는 구체적인 여자로 떠오르기 이전의,
여자의 고통스런 잠재태이다. '한 여자'는 아직은 익명의 여자
이며 무인칭의 여자이다. '한 여자'는 모든 여자일 수 있지만,

아직은 아무 여자도 아니다. '한 여자'는 구체적인 고통 속에 처한 여자이지만 어느 여자인지 알 수 없다. '한 여자'는 자욱하다. 우리는 '한 여자'를 그리워할 수는 있지만, '한 여자'를 안을 수는 없다. 우리는 '그 여자'를 안을 수 있을 뿐이다. 우리가 다만 그리움 속에서 '한 여자'를 안을 때, 우리는 그 안음과 따스함에 의하여 '한 여자'가 '그 여자'로 환생하기를 꿈꾼다. 그러나 그 안음 자체가 목마른 몽상이다. 모든 '한 여자'는 '그 여자'로 다시 태어나서 우리에게 안겨야 한다. '그 여자'로 다시 태어나지 못한 모든 '한 여자'는 아직은 머나먼 여자이다. '한 여자'는 여자의 치욕이며 우리들의 치욕이다. '한 여자'는 '돌 속에 묻혀' 있는 여자다. '한 여자'는 괴로워하는 익명의 존재다. '한 여자'의 괴로움은 그 캄캄한 익명성에서 온다. 우리는 괴로워하는 존재들을 익명성 속에 방치해두고서는 그들의 괴로움에 가까이 갈 수 없다. 우리가 그 익명성을 방치할 때 우리들 자신이 익명 속으로 매몰된다. 우리는 끝끝내 '그 여자'를 안을 수 있을 뿐이다. 우리가 '그 여자'를 안을 때, '그 여자'는 머나먼 '한 여자'로부터 소생해온 여자이다. '그 여자'를 통해서만 우리는 '한 여자'를 사랑할 수 있다. 아니, '한 여자'를 '그 여자'로 끌어올리지 못하는 한 우리는 '한 여자'도 '그 여자'도 사랑할 수 없다.

나는 돌 속에 갇힌 '한 여자'가 돌 속을 떠나가는 '그 여자'로 부활하는 과정들을 생각하면서 이성복의 「남해 금산」을 읽었다.

　"한 여자 돌 속에 묻혀 있었네"라는 시행 속에서, '한 여자'는 과거시제 속에 묻혀 있다. 두번째 행 "그 여자 사랑에 (……)" 중에서 "그 여자 사랑"은 모호하다. '나'가 그 여자를 사랑하는 사랑인지, 그 여자가 '나'를 사랑하는 사랑인지 구별하기 어렵다. 내가 좋아하는 것은 그 모호성이다. 어느 쪽의 사랑인지를 따지는 영악한 명료성은 어느 쪽의 사랑인지를 알 수 없는 모호성 앞에서 마침내 무력할 것이다. 그 모호한 사랑에 힘입어 '한 여자'는 돌 속의 익명성으로부터 부활해서 돌연 (!) '그 여자'로 변신한다. '그 여자'는 '한 여자'와 절연된 '그 여자'가 아니다. '그 여자'는 '한 여자'의 고통으로부터 소생한 '그 여자'이며 '한 여자'의 연장선상에서 새롭게 태어난 '그 여자'다. 화석으로부터 깨어난 '그 여자'는 이름과 육신을 갖는 구체적인 여자다. '그 여자'와의 사랑의 공간은 '돌 속'이다. 돌 속의 사랑은 불가능한 사랑이고, 불가능한 사랑은 커다란 사랑이다. '한 여자'는 따스함에 의하여 캄캄한 화석 속의 유폐로부터 부활하고 과거시제로부터 현재시제로 옮겨간다. 사랑은 과거시제가 아니다. 사랑의 기후와 온도는 현재 시제에만 실릴 수 있다. 그 여자가 돌 속을 건너오고, '나'도 돌 속에서 나와 현재시제로 돌아온다.

남해 금산 푸른 하늘가에 나 혼자 있네
남해 금산 푸른 바닷물 속에 나 혼자 잠기네

현재시제 속에서 완성되는 사랑의 현재태는, 이 시행의 막막한 자유, 또는 이별이다. 이 마지막 시행을 읽을 때 우리는 그리움과 사랑을 통과해서, 마침내 그것들로부터의 '자유에로 이행'한다. '한 여자'가 익명성으로부터 부활했을 때 '돌 속'은 이미 그 여자에게 합당한 사랑의 공간은 아닐 것이다. '그 여자'가 버리고 떠나간 돌의 껍데기들이 이 세상의 바닷가에 나뒹구는 모습을 바라보는 것은 쓸쓸하지만, 자유롭다.

나는 남해 금산에 한 번밖에 가보지 못하였다. 여러 해 전이었는데, 그때는 이성복 시집 『남해 금산』이 세상에 나오기 전이었다. 남해 금산은 아름다운 바다였다. 아득한 섬들과 푸른 물은 들리지 않는 계면조로 펼쳐져 있었다. 내가 이성복의 『남해 금산』을 읽은 후 내 마음에 남아 있던 그 아름다운 바다와 섬들에 대한 기억은 서서히 변형되어 재편성되기 시작했다. 책보다 먼저 내 마음에 들어와 있던 풍경, 아름다움, 추억 같은 것들이 책에 의하여 재편성되거나 빛깔이 바뀌어가는 것은 이상하다. 이상하다 못해 억울하기까지 하지만, 나는 그런 억울함을 속수무책으로 방치해놓고 살아간다. 내가 『남해 금산』을 읽은 후 그 바다와 섬들은 나의 마음속에서 생生-멸滅의 공간, 또는 그 둘이 서로 삼투하는, 그래서 내가 살아보지 못한 어떤 새로운 시간과 공간으로 빛깔을 바꾸어왔다. 신안 앞바다에서 바라보는 서남쪽 바다의 섬들은 내 마음속에서 늘 박모의 저녁 무렵으로 떠오르지만, 남해 금산의 시간은 아침과 저녁이 함께 떠오른다. 금산 꼭대기에 여관이 있는데, 거기서 하룻밤을 지내면서 이 바다와 섬으로 찾아오는 시간을 관찰하는 일은 외롭고도 서늘하다. 바다가 아득히 남쪽으로 펼쳐져 있고, 남으로 멀어져가는 섬들 위로 새벽이 찾아올 때, 그 산 꼭대기에서는 해가 남쪽에서 뜨고 새로운 시간이 남쪽으로부터 다가온다는 환각에 빠지기 십상이다. 새벽의 새로운 시간은 먼 바다의 가장 아득한 곳의 어둠을 지우면서 서서히 다가온다. '한없이 낮은 숨결'은 이인성 소설의 제목이지만, 그 바다와 섬 위로 찾아오는 새벽 시간의 숨결은 한없이 낮다. 밝음과 신생의 시간들은 어둠과 사멸의 시간들을 무찌르거나 쳐부수면서 다가오는 것이 아니다. 밝음의 시간들은 어둠의 시간 속으로 스며듦으로써 다가온다. 그것들은 지속되면서 변화한

다. 남해 금산의 새벽 바다 위에서 펼쳐지는 시간들의 임무교
대는 물러갈 시간과 다가올 시간 사이의 아무런 구획이 없다.
남쪽 바다의 먼 저쪽에서부터 나타나기 시작하는 밝은 시간의
알맹이들은 물러가는 어두운 시간의 구름 속을 헤집고 들어가
저 자신을 소멸시킨다. 다가오는 시간들과 물러가는 시간들이
소리없이 뜨겁게 사랑하고 있는 연애사태를 나는 남해 금산의
새벽 산꼭대기에서 보았다. 우주 공간에 가득 차는 그 연애사
태가 빚어내는 신생아의 이름은 아마도 '현재시제'가 되어야
옳으리라. 현재를 분만하는 시간들의 사랑은 다른 많은 사랑
들을 일구어주는 사랑의 밭이다. 새벽 금산의 산꼭대기에서
그 현재시제의 시간들이 나의 몸속으로 안개처럼 부드럽게 스
며들어올 때, 나는 금산 꼭대기의 돌멩이라도 끌어안고 사랑
하고 싶었다. 바다와 섬들 위로 밤이 올 때도 시간들은 그렇게
온다. 어둠과 밝음, 과거와 미래, 신생과 사멸이 시간들의 사
랑 속에서는 대립되는 것이 아니라 잇달아 있다. 그 사랑에 의
하여 돌 속의 시간이나 우주공간을 날아가는 물질적 시간은
인간이 살아갈 수 있는 현재의 시간이 된다. 이성복의 시 「남
해 금산」에 따르면, 그 현재성의 사랑은 운명의 외로움이다.
나는 이 외로움을 고독이라기보다는 단독이라고 번역하고 싶
다. 단독은 사랑을 완성하고, 그래서 그리움으로부터 벗어난

자의 존재양식이고, 시행을 인용하자면 '남해 금산 푸른 바닷물 속에 나 혼자 잠기'는 일이다. 그리고 돌 속의 익명성으로부터 남해 금산의 푸른 물가로 풀려나온 자의 단독이야말로 타인들, 또는 세상들과의 유대를 가능케 하는 조건이다. 그의 단독은 치욕의 돌, 유폐의 돌을 녹이는 단독일 것이다.

돌이란 무엇인가. 이성복의 시에 의하여 남해 금산 산꼭대기의 돌들은 내 마음속에서 새롭게 위치를 잡고 들어선다. 남해 금산 꼭대기는 수많은 기암괴석으로 덮여 있다. 돌들은 아우성치듯 벌떡벌떡 일어서 있거나 아우성조차 지친 듯 자빠져 있다. 모든 바위들이 저마다 하나씩 애달픈 전설을 품고 있었다. 산꼭대기 암자의 노승이 그 전설들을 들려주었으나 지금은 그 자세한 내용을 기억할 수 없다. 그러나 그 전설들은 하나같이 이루어지지 않은 삶, 도달할 수 없는 사랑, 보답받지 못하는 고통들에 관한 전설이었다. 그리고 그 바위의 전설들은 이루어지지 않은 삶을, 눈 아래 바다 속으로 투영시키고 있었다. 남해 금산의 바위들은 삶의 불가능을 전설화해서 간직한 채, 모든 바위들이 바다를 내려다보고 있다. 바다의 먼 남쪽 끝이 터지고, 밝은 시간의 알맹이들이 바다와 섬 위로 퍼져나가는 그 새벽에도 바위들은 다만 희끄무레하게 서서 바다를 내려다보고 있다. 신생하는 시간의 부드러운 햇살들이 수억 년을 내리쪼여도 바위의 그 참혹한 견고함은 녹여지지 않는다. 다만 세월에 의하여 깎여지고 문드러져서 그 견고함의 외형에 모서리를 더해갈 뿐이다. 언어의 멸절, 시간의 부재, 깊을수록 울어지지 않는 울음, 삶의 절대적인 불가능, 출구 없는 쑥과 마늘의 동굴, 남해 금산의 바위들은 나에게 그런 것들을 생각게 했다. 그 돌 속에 '한 여자'가 갇혀 있다. 우리는 사랑의 힘에 의하여 돌 속을 드나들 수는 있지만 돌의 바깥쪽, 남해 금산의 푸른 바닷가는 이별과 단독의 공간이다. 사랑하기 위하여 괴로워하는 '한 여자'에게 인칭을 부여하기 위하여 우리는 돌 속으로 들어갈 수밖에 없다. 우리는 사랑에 의하여 돌의 요지부동을 쳐부술 수는 있지만 그 결과는 이별과 단독이다. 이성복의 시에 의하여, 다시 돌이켜보는 금산의 돌들은, 그 여자가 떠나가버린 빈 껍데기의 바위들이었다. 또다른 사랑들이 그 돌 속에서 이루어져야 하리라.

여름휴가에 남해 금산에 또 가보고 싶지만 너무 멀어서 가지 못한다. 다만 그리워함으로써 누릴 뿐이다.

덧붙임

시집 『남해 금산』에는 맨 앞에 「서시」가 실려 있고 「남해 금산」이 맨 뒤에 실려 있다. 아마도 이것은 시인 자신이나 또는 그 시를 편집한 사람들의 의도된 배치가 아닌가 싶다. 「서시」
와 「남해 금산」은 시집의 앞과 뒤에서, 양쪽의 짝을 이룬다.
「남해 금산」이 돌의 요지부동성 또는 죽음을 녹여내는 사랑
에 관한 시라면 「서시」는 부랑하는 것들이 사랑에 의하여 존
재성을 획득해가는 모습을 보여주는 시라고 할 수 있다. 그
두 편의 시가 하나의 짝이라는 생각을 나는 오래 전부터 가지
고 있었다. 시집을 아직 읽지 않은 독자들을 위하여 이 「서시」
를 인용한다. 그래야 이 엉성한 글도 앞뒤가 맞으리라고 생각
한다.

간이식당에서 저녁을 사먹었습니다
늦고 헐한 저녁이 옵니다
낯선 바람이 부는 거리는 미끄럽습니다
사랑하는 사람이여, 당신이 맞은편 골목에서
문득 나를 알아볼 때까지
나는 정처없었습니다

당신이 문득 나를 알아볼 때까지
나는 정처없었습니다
사방에서 새소리 번쩍이며 흘러내리고

어두워가며 몸 뒤트는 풀밭,

당신을 부르는 내 목소리

키 큰 미루나무 사이로 잎잎이 춤춥니다

악기의 숲, 무기의 숲 _담양, 수북

    사람들의 마음속에서 나무는 상징체계와 더불어 자란다. 세계를 꿈의 안쪽으로 편입시키려는 욕망이 마음속에서 나무들의 상징체계를 자라나게 한다. 어린 나무가 큰 나무로 자라남에 따라 그 상징체계들은 더욱 완연해지는 것인데, 그렇게 자라나는 상징들은 꿈과 현실을 매개하면서 역사 속으로 전승된다.

    내 마음속에서 귤나무, 오렌지나무, 감나무처럼 노란 열매들이 주렁주렁 열리는 나무들은 물질과 꿈 사이를 수천 년 동안 헤매어온 연금술사의 나무들이다. 맑음과 깨끗함의 완성태를 지향했던 저 은자隱者들의 꿈은 현실에 대한 절망과 나란하였다. 물질들 사이의 교감에 대한 그 은자들의 선험적 환상은 결국 몇 개의 광물질 가루 속에서 바스러지고 말았지만, 한 그루의 귤나무는 저 죽어버린 은자들의 꿈과 더불어 찬란하다. 아마도 그 늙은 은자들은 물질의 법칙과 생명의 법칙을 구별하지 못했거나, 존재하는 것들의 내부를 의심하지 않았던 모양이다. 생명현상 속으로 물질을 끌어들여 존재하는 모든 것들의 불안정과 더러움, 모자람을 맑음과 깨끗함의 완성태로 끌어올리지 못한다면 이 물질계는 인간이 살 만한 세상이 아니라는 그 오만하고도 당당한 믿음이 가없은 은자들의 실험실을 가득 채우고 있었을 것이다.

그리고 그 믿음과 실패는 인간이라는 종족의 가장 자연스런 본성에 바탕한 혼란이며 지향성일 테지만, 인간의 꿈이 바스러져버린 자리에서 한 그루의 귤나무는 저 은자들의 꿈의 덩어리들을 가지마다 주렁주렁 매달고 있다. 그것들의 열매 속에는 변화함으로써 완전해지려는 꿈이 물질적으로 실현되어 있다. 물질적인 것과 생리적인 것이 선적禪的 자유와 다르지 않다는, 이 행복한 연금술사의 자지러지는 기쁨의 힘으로 어린 귤나무 한 그루가 내 마음속에서 자라난다. 그렇게 해서 사람들의 마음속에는 뽕나무는 기름진 문명의 생산성과 삶의 비옥함으로, 버드나무는 휘어늘어지고 넘쳐흐르는 관능과 유동성으로, 소나무는 구부러짐으로써 삶의 무게를 지탱해내는 완강함으로 자리잡아 나무들은 마음의 지리부도 속에서 군생群生의 숲을 이룬다.

수북水北의 대숲은 연두색의 맨 끄트머리에 매달려 겨울을
난다. 겨울 대숲의 연두는 색의 스펙트럼 속에서 연두의 극지
極地로까지 밀려난 멸종 위기의 색깔이다. 그것은 색이라기보
다는 어떤 흔적이다. 대숲에 눈이 내릴 때 그 멸종 위기의 연
두는 멸종의 운명을 추호도 보강하지 않고 눈 속에서 빛난다.
바람에 불려가는 눈발이 대숲을 스칠 때 숲의 마른 잎들은 썰
물 빠지는 소리로 서걱거린다.

겨울 대숲은 시달림과 더불어 아늑하다. 겨울 대숲은 눈보
라에 저 자신을 모두 내맡기고 눈보라와 더불어 평화롭다. 내
마음의 수목원에서 대나무는 연금술사의 귤나무와 정반대의
위치에서 서식한다. 꽃도 열매도 없는 그 나무는, 연금술이란
불가능하기에 앞서 불필요한 일이며 한줄기 외로운 지향성만
이 살아서 이루어내야 할 일의 전부라는 전언을 그 나무의 마
디마디에 매달고 있다. 그 나무는 열매의 황홀 속에서 존재의
전이를 이루는 행복한 나무가 아니라 지향의 외로움으로 자신
의 운명을 삼는 고통스런 나무다. 눈보라 속에서 대숲은 저 자
신의 존재를 풀어헤쳐 눈과 바람 속으로 빨려들어가는 소리를
내며 흔들리고 쓸리운다. 눈과 바람 앞에서 대숲은 속수무책

이지만, 숲의 연두의 숨결은 그 속수무책 속에서 색의 바다를 이루어 빛나고 출렁인다. 바람이 잠들고 눈이 그치면 대숲 위에 내려쌓인 눈은 하늘에서 떨어진 눈이 아니라 대의 이파리들이 품어낸 눈이라는 느낌을 준다. 대숲 위의 눈은 솜사탕처럼 부풀어 있고, 그 부풀은 눈의 흰색 속으로 숲의 연두가 삼투되어 눈과 연두가 함께 빛난다. 그리고 땅에 가까운 숲의 아래쪽에서 연두는 숲의 어두움 속으로 삼투되어 꼬리를 감추는데, 눈의 흰색 속으로 합쳐져 빛나는 연두와 어둠 속으로 스며들어 실종되어가는 연두, 그 두 갈래 극極의 연두 사이를 대나무들은 수직으로 관통하고 있다.

대숲에 내리는 눈은 숲의 연두를 지우지 않는다. 그 눈은 연두의 모든 속성과 모든 다양성을 한꺼번에 드러내주는 눈이다. 연금술이 깨어져버린 땅 위에서 대나무숲은 견디면서 건너가는 자들의 위엄으로 고요하다. 수북水北의 넓은 들판에서 대숲은 섬처럼 듬성듬성 들어서서 집과 마을들을 감싸고 있다. 그 숲은 세상의 빛과 바람과 습기들을 걸러내서 빛과 그늘, 아늑함과 서늘함, 마름과 젖음, 소리와 적막, 소통과 차단의 완벽한 조화 속에서 인간의 마을들을 안아서 키운다. 이 놀라운 숲은 인간과 인간, 인간과 세계 사이에 끼어들어 인간을 찌르기 위해 달려드는 이 세계의 자극들을 인간 쪽으로 순치시켜놓는다. 대숲의 이 인문적인 힘은 군생群生하되 서로 엉키거나 비비적거리지 않고 드문드문 태어나 개별자로서 곧게 뻗어 올라가는 그 나무 각자의 외로운 지향성에서 오는 것이다. 대숲의 속은 언제나 어둑시근하고 서늘하며 소슬하고 정갈하다.

한 그루의 대나무를 들여다보는 인간의 시선은 분열되어 있다. 대나무는 비어 있고 단단하고 곧다. 인간의 꿈과 욕망, 그리고 세계를 마주 대하는 인간의 자세의 양극단은 악기와 무기다. 인간은 악기를 만들 수도 있고 무기를 만들 수도 있다. 인간의 시선이 대나무의 속 빔에 가 닿았을 때 인간은 거기에 구멍을 뚫어 피리를 만든다. 저 자신이 비어 있는 존재들만이 음악을 이루는 소리를 생산해낼 수 있다. 모든 악기는 비어 있거나 공명통을 가지고 있다. 그러나 인간의 시선이 대나무의 단단함에 가 닿았을 때 인간은 대나무의 한쪽 끝을 예각으로 잘라내 죽창을 만든다. 대나무를 그리는 동양의 수묵화들은 그 나무의 곧음의 아름다움을 그린다. 휘어늘어짐이나 구부러짐의 아름다움을 그리는 것보다 곧음의 아름다움을 그리는 것은 얼마나 더 어렵고 갑갑한 일이었으랴. 곧은 것이 아름답다고 느낄 때, 그 아름답다는 느낌 속에는 얼마나 크고 모진 자기 학대와 극기가 스며들어 있는 것일까.

피리 죽창, 악기와 무기는 꿈과 욕망의 양쪽 극한이다. 겨울 수북의 대숲 속에서 나는 악기의 꿈과 무기의 꿈이, 선율의 혁명의 꿈이, 한데 합쳐져 오직 거대한 침묵으로 눈을 맞고 있는 장관을 보았다. 악기의 꿈과 무기의 꿈은 결국 다르지 않다. 안중근의 총과 우륵의 가야금은 결국 같은 것이다. 그것들의 꿈은 세계의 구조와 시간의 내용을 변화시키는 것이다. 악기는 시간의 내용을 변화시키고 무기는 세계의 구조를 변화시키는 데 관여한다. 악기의 꿈은 무기 속에서 완성되고 무기의 꿈은 악기 속에서 완성된다. 그것들은 서로가 서로의 잃어버린 반쪽이며, 찾아 헤매는 반쪽이지만, 찾아 헤맬수록 그것들 사이의 거리는 점점 멀어져서 그것들은 이제는 세계의 두 극지로 갈라져 있다. 악기는 비어 있음의 소산이고 무기는 단단함의 소산이다. 대나무는 연금술사의 굴나무처럼 저 자신의 운명을 연금하지 못하지만, 인간의 시선이 대나무에 닿았을 때 인간은 그 나무의 속 빔과 단단함에 의지해서 세계와 시간을 흔들어 연금하려는 욕망을 키우기 마련이고, 그 욕망이야말로 인간의 인간된 운명일 것이다.

악기와 무기 사이에서 아직은 악기도 아니고 무기도 아닌 대나무들은 인간의 마을을 둘러싸고 다만 수직으로 꼿꼿이 서서 숲을 이룬다. 그 숲은 악기의 숲일 수도 있고 무기의 숲일 수도 있지만, 인간의 마을을 에워싼 그 숲에 바람이 잠들어 이제 숲은 다만 쾌적한 대숲일 뿐이다.

눈보라에 쓸리울 때 그 숲은 시달림과 평화를 비벼서 서걱이는 연두의 바다로 빛난다. 소멸할 위기에 처한 그 색들은 시달림 속에서 그토록 완연하고 강력하다. 바람이 잠들면 숲은 악기의 꿈과 무기의 꿈을 함께 숨기고 적막하다. 동일한 운명의 바탕에서 빚어져 모순의 양극으로 갈라진 그 꿈들의 적막한 공존은 얼마나 무서운가.

그 무서운 숲은 다만 안온한 평화로 인간의 마을을 에워싸고 있다.

강과 탑 _ 한강/행주산성

내 고향 서울의 강은 세상의 밑바닥을 겨우겨우 흐른다. 겹겹의 댐으로 상류를 차단당한 저 큰 강은 출렁거리며 흘러가는 것의 설레임을 이미 잃었다. 동물원 철책 속에서 생로병사하던 늙은 호랑이는 숨이 끊어지기까지 몇 달 동안을 시멘트 바닥에 엎드려 눈 한 번 뜨지 않았다. 사람들이 소리를 지르고 돌멩이를 던졌지만 호랑이는 인간세를 향해 고개 한 번 돌려주지도 않았다. 저 장엄한 짐승은 죽음에 이르기까지의 고통을 추호도 생략하거나 앞당기지 않았다. 시멘트 바닥에 쓸리우는 옆구리가 짓물러 악창으로 썩어가는 호랑이는 몸 한번 뒤채지 않았다. 늘어진 아랫배가 천천히 오르내리며 마지막 순간을 향해 조금씩 줄어드는 숨을 쉬었다.

내 고향 서울의 강은 시멘트 위에 죽는 호랑이의 숨결처럼,

도시의 수직구조물들 사이에 쓰러져 냉큼 죽어지지 않는 흐름을 기신기신 흘러간다. 내 고향의 구석기시대는 진행중이다. 수렵채취하고 정복확장하고 약육강식하고 투석방화投石放火하고 직립보행하고, 이윤과 욕망의 목초지를 따라 유목하고 혈거한다. 강은 구석기의 도시 밑바닥을 낮은 포복으로 기어서 통과한다. 도시를 빠져나온 강은 김포 쪽으로 뻥 뚫린 허당을 지나 바다에 이르러 죽는다.

왕도王都를 찾아 헤매던 이성계, 정도전, 무학 등이 북한산 꼭대기에 올라가 이 산하의 형국을 살필 적에, 저들은 존재와 생성, 있음Being과 됨Becoming이 서로 안기고 실리는, 거대한 만다라의 구도를 이 들판에서 읽었을 것이다. 존재하는 것은 그 존재 자신의 울타리로 폐쇄되는 것이 아니라 그 존재 안에 생성(=흐름)을 포함하고 있어야 하며, 흐르는 것은 흘러서 소멸하는 것이 아니라 새로운 존재의 확실성으로 귀환해야 한다는 저들 마음속의 만다라는, 이 들판의 만다라 위에 편안하게 포개질 수 있었으리라. 그들은 북한산(북)-관악산(남)-용마동(동)-덕양산(서)의 정점을 연결하는 큰 마름모의 구도 안에 북악산(북)-남산(남)-낙타산(동)-인왕산(서)의 정점을 연결하는 작은 마름모를 받치고, 그 작은 마름모의 능선을 따라 성곽을 쌓았다. 그들의 마음속에서, 세계는 존재와 생성의 이름으로 교차하는 십자로였고, 그 십자로의 교차점에 영원의 왕도는 세워져야 했다. 저들은 두 겹의 네모꼴을 이루는 산악에 존재를 의탁했고, 거대한 원호를 그리며 그것들을 싸안는 강에 생성을 의탁했다. '됨'의 띠를 둘러 '있음'의 외곽을 삼았다. 굳어져버린 시간의 껍데기 위에 어찌 삶의 터전을 들여앉힐 수 있으랴. 존재하는 것들이 생성하는 것 위에 실려서 흘러가고 흘러가는 것들이 흐르고 흘러서 새로운 존재로 돌아오는 만다라의 강가에 새 날개치는 소리 들린다. 그 강가에 영원성을 건설해야 한다는 것은 죽은 정도전에게 물어보지 않아도 자명하다.

수직들은 견고하고 완강하고 높다. 그것들은 부동하는 존재들이다. 부동하는 것들의 내면에는 죽음이 박혀 있다. 부동하는 것들 사이를 흐르는 강은 그것들의 그림자를 바다에 가져다 버린다. 바다와 만나는 어귀에서, 싣고 온 존재들의 중량을 하역하고 강은 자진自盡한다.

지금, 정도전의 관측소였던 북한산 꼭대기에서 내려다보면, 존재의 외곽을 생성의 띠가 둘러워지는 이 들판의 만다라의 구도는 깨어져 있다. 강은 더이상 도시를 안지 못한다. 강남과 상계동 쪽 들판으로, 연결된 선을 이루지 못하는 고층들이 불쑥불쑥 들어서 있다. 몽촌토성의 신석기에서 강남구 압구정동의 현대에 이르는 강변의 대취락으로부터는 인기척도 개 짖는 소리도 들려오지 않는다.

거대도시의 적막은 무섭다. 인기척 없는 거대도시의 풍경은 마치 유목하는 족속들이 버리고 떠나간 삶의 껍데기처럼 강안과 들판을 가득 메우고 있다. 그 적막한 거대도시는 인간의 자취에 눈물겨워하는 한 고고학자의 누선을 건드려 거기에서 한 옹큼의 빗살무늬토기라도 찾아내게 할 만했다. 그 수직구조물들의 들판을 숨통이 막힌 큰 강이 도시의 고름과 구정물을 수거해서 겨우겨우 흐르고 있다.

한강은 행주나루에 이르러 도시를 버리고 아득히 넓은 강폭으로 벌어지면서 서북진한다. 이제 바다에 이르러 죽어야 할 때가 가까웠다. 도시의 수직구조물 틈을 겨우 통과해나온 강은 김포의 넓은 벌판 위에 쓰러진다. 강은 일몰의 붉은 들을 지나 강화 쪽 노을 속으로 승천한다. 강이 통과해나온 도시는, 행주산성의 동쪽 들판에서 수억만 개의 네모꼴의 집적을 이룬다. 대안對岸에는 63빌딩이 합장한 두 손처럼 솟아 있고, 도시의 스모그 속에서 성산대교는 물에 불은 널빤지처럼 강 위에 걸려 있다.

나는 교회의 첨탑이나 사찰의 석탑이 견딜 수 없이 답답하다. 그것들이 가리키는 곳이 자유나 초월적 가치라 하더라도 그 자유를 그토록 간절히 지향해야 하는 긴장과 자기 학대를 나는 견디어내지 못한다. 내 고향의 수직구조물들은 이제 신성이나 초월적 가치를 모두 버렸다. 그것들은 신석기의 선돌이나 중세의 첨탑이 아니다. 그것들은 이제 아무것도 지향하지 않고, 아무것도 가리키지 않는다. 그것들은 테크놀로지와 초과이윤의 탑이다. 그것들의 꼭대기에는 피뢰침이 달려 있고, 교회의 네온사인 십자가에도 피뢰침은 달려 있다. 내 고향의 수직구조물들은 성聖과 결별했다. 내 고향에서, 이제 거룩한 것은 아무것도 없다. 성과 결별한 거대한 힘의 탑들이 저 피곤한 강의 양안을 가득 메우고 들어서 있다. 그 수직구조물들은 하늘 높이 솟아 있지만 더이상 하늘을 가리키지는 않는다. 그것들은 성으로부터 벗어났다는 점에서 현대적이고, 초월적 가치에서 일체 떠난 거대한 공룡의 힘이라는 점에서 홍적세적이다. 홍적세의 내용이 현대의 그릇 속에 담겨져, 아무 곳도 가리키지 않는 지상의 탑으로 들어서 있다.

행주에서 강은 아득히 넓다. 그 아득한 넓이는 대안으로 가는 인간의 시선을 부축해주지 않는다. 행주에서, 발 없는 강은 거대한 마디벌레처럼 제 몸을 움츠려서 기어간다. 대안으로

가는 자동차들은 성산대교의 교통체증에 갇혀 다리 위에서 오도가도 못한다. 자동차들은 앞 봉사의 허리춤을 쥐고 따라가는 줄봉사의 대열로 다리 위에 늘어서 있다. 차는 앞차 때문에 가지 못하고 뒷차 때문에 돌아가지 못한다. 모든 차는 앞차의 뒷차이고 뒷차의 앞차이다. 그러므로 모든 차는 앞차도 뒷차도 아니고, 다만 오도가도 못하는 차이다. 가는 것이 차고, 가지 못하는 것은 차가 아니다. 성산대교 위에서 차는 차 때문에 차가 아닌 것이 되어 줄봉사의 행렬로 기어서 대안으로 간다.

아무래도 행주에서는 흘러가는 것은 존재하는 것과 하직하는 것 같다. 도시의 수직구조물들은 완강하게 땅에 들러붙어 있다. 석양을 튕겨내며 발갛게 타오르는 63빌딩은 대안의 땅 위에서 손을 흔들어 강을 보낸다.

늙고 느린 강이 혼자서 바다로 가고, 견고한 것들이 사각형의 벽돌과 사각형의 창문으로 사각형의 칸을 쌓아가며 지상에 남을 때 벌판의 비닐하우스 자락이 찢어져 바람에 펄럭인다. 사람들은 두 개의 가로와 두 개의 세로가 옹물고 버티는 사각형의 동굴 속에서, 사각형의 유리창 밖으로 저 혼자 흐르는 강의 마지막 굽이침을 내다본다. 행주에서 강은 땅에 붙은 존재들을 뒤에 남기고 도시를 버린다. 이 아수라의 옛 싸움터에서 수없는 인축이 죽고 죽였다. 그 사체死體의 고지 밑을 휘돌아

강은 혼자서 서해로 가고, 기도할 아무것도 남아 있지 않은 대안에서 63빌딩은 하늘을 향해 공룡의 두 손을 모은다.

강물이여, 이 구석기의 들판으로 돌아오소서.

대동여지도에 대한 내 요즘 생각 _동해/후포

대동여지도大東輿地圖에 관한 나의 생각은 '고향'에 대한 생각과 맞물려 있다. 나는 고향에 관한 사람들의 그리움 섞인 이야기나 문학과 유행가 속에 나오는 고향 이야기를 그다지 좋아하지 않는다. 나는 그것들을 경멸한다. 증오한다라고 쓰려다가 경멸한다라고 썼다. 내 고향은 서울 종로구 청운동이다. 그 먼지 나는 거리에서 나는 자랐다. 그리고 나는 내 '고향'에서 길 하나 건너간 곳에 있는 회사에서 밥을 번다. 손바닥만한 도심의 공간이 내 한 생애의 공간이다. 나는 전원이나 농촌을 고향으로 가진 사람들이 제 고향의 논두렁 밭두렁, 바다나 산이나 시냇물, 언덕 정자 나무들을 육친화하듯이, 내 '고향'의 도시 구조물들이나 내 유년의 이웃들을 육친화할 수는 없었다. 내 헐벗은 유년의 거리에 처음으로 가등이 세워지고, 날이 저

물어 거기에 불이 켜졌을 때, 우리들 삶의 남루를 그토록 환히 들여다보고 드러내버리는 그 가로등 불빛에 대한 부끄러움과 낯섦 또는 당혹감 같은 것들만이 아직도 내 마음의 밑창에 남아 있을 뿐이다. 나는 인문화되지 않은 자연 앞에서 애증병발을 느낀다. 인문화되지 않은 자연은 매혹적이고 거기에 어떤 해답이 있어 보이지만, 그렇게 위대한 날것 앞에서 나는 늘 난감했고, 결국은 감당해낼 수 없었다.

자라서 글을 읽을 수 있게 되자, 나는 '고향'이란 육친화된 어느 산이나 강물이나 논두렁 밭두렁이 아니라, 사람들의 마음속에 들어 있을 어떤 보편적인 아늑함과 넉넉함의 공간이라고 믿게 되었다. 아니, 믿는다기보다는 나 자신에게 그렇게 우기게 되었다. 그러나 그것은 아직도 잘 우겨지지 않는다.

나는 김정호가 작성한 대동여지도를 들여다보면서 그가 고향 아닌 세상을 고향으로 만들어낸 사람이라고 여기게 되었다. 그가 목판을 끌로 파서 지도를 만들었는데, 도시와 마을의 이름을 각자해놓은 그 자체字體의 눈물겨운 소박함이 아마도 애초에 나에게 그런 생각을 하게 했던 것 같다. 나는 김정호에 대한 글들을 모아서 읽기 시작했다. 내가 읽은 글들은 최한기, 정인보 같은 옛 선비들의 문집 속에 들어 있는 김정호에 대한 짧은 글들과 요즘의 지리학자나 인물사가들이 쓴 몇 편의 글들이었다. 그것들은 아주 빈약한 분량이어서 모두 다 읽는 데 하루밖에 걸리지 않았다. 그리고 그 글들은 김정호를 향한 내 마음의 길 떠남을 전혀 거들어주지 못했다. 나는 과학의 길을 따라서 김정호에게 가고 싶었다. 그러나 내가 읽은 글들은 과학에는 미치지 못하는 글들이었고 내 힘으로는 더이상의 읽을거리를 찾아낼 수도 없었다. 읽을거리가 없으니까 차라리 잘되었다 싶은 생각이 들었다. 나는 내 마음대로 가기로 했다.

김정호는 혹시나 문둥이는 아니었을까. 대동여지도를 들여다보면서, 내 멋대로 가려는 내 생각 속에 떠오른 것은, 살 수 없는 세상, 낄 수 없는 세상, 말하여지지 않는 세상에 제 마음을 비비는 한 행려병 문둥이의 모습이었다. 그가 온 국토에 행려의 족적을 끌고 다녔지만, 그는 자신의 족적을 모두 거두어 흔적 없이 죽었다. 기록으로 추적되지 않는 것들은 무섭다. 김정호라고 하지만, 결국 그는 영원한 익명이다. 세상의 도면을 그린다는 것은 그 세상으로부터 제외된다는 일은 아니었을까. 그리고 그렇게 제외되어 있는 자만이 온 세상의 강물과 산맥에, 모든 마을과 저자 들에 고향을 세울 수 있는 것이 아닐까. 대동여지도에 각판된 마을 이름의 자체와 산맥과 강줄기를 표시한 부호들은 당신들의 마음속에서 육친화되어 있을 고향의 논두렁과 밭두렁에 흡사할 테지만, 그 마을과 산맥과 강물 들은 그것과 흡사하면서 그것들을 넘어서고 있다. 당신은 나로부터 무슨 방향으로 몇 리 떨어진 곳에 사는 누구이며, 당신이 나의 남동쪽에 있을 때 나는 당신의 북서쪽에 있을 것이어서, 내가 남동이라고 말할 때 그것이 당신의 북서이며 당신이 북서라고 말할 때 그것이 나의 남동일진대, 우리가 북서나 남동으로 더불어 아늑할 수 있을까. 대동여지도는, 그 마을과 강들은, 그리고 거기에 각판되어 있는 해안선은 이 세계로부터 쫓겨난 자가 끝끝내 거기에 마음 비벼 이루어낸, 세계의 종합 방위표이며 등고선이고, 세계의 외곽 경계선이고, 당신과 나의 새로운 고향이다.

김명인 시집 『머나먼 곳 스와니』 속에 들어 있는 「김정호의 대동여지도·II」라는 시에 의지해서 나는 그 시집 전체를 읽었다. 나에게는 「김정호의 대동여지도·II」보다는 「가을 江」이나 「화천」이 더 힘세고 아름다운 시라고 생각되었지만, 「김정호의 대동여지도·II」는 그 시집 전체를 인도해주는 아주 좋은 길잡이가 되어주었다. 옮겨 적는다.

　　내 마침내 남도 끝에 서다 수평 위엔
　　철없이 곤두박질치는 까치노을

부서지며 파도 섬찟하게 물보라 뿌려
굽은 岬 너머 흰 구름 몇 송이 흩어지누나

벗어나랴, 차라리 변방 구석진 곳에 엎드려
몇만 리 끌고 온 그리움 흉금에 새겨
슬픔이나 근근히 가꾸랴
目測 너머 아득하게 시선 꺾어지고
돌아서면 끝모를 목숨의 낭떠러지
무슨 인연의 진달래만 저렇게 지천으로
선홍빛 욕망의 燒紙 사뤄 날리는지
한 점 붓 끝에도 눈시울 젖어, 바다여
바라보면 배 한 척 흐르고 있다

김명인의 김정호는 삶과 죽음 사이의 경계선을 확인하고 있
다. 김정호는 땅을 벗어나지도 못하고 땅에 엎드리지도 못한
다. 바다는 "굽은 갑岬 너머 흰 구름 몇 송이 흩어지"는 막막한
허당이고, 육지는 진달래가 "선홍빛 욕망의 소지燒紙 사뤄 날
리는"고통의 세계이다. 김정호는 그 두 개의 세계가 만나는 경
계선을 따라 아득한 목측을 보내며 그 경계선을 추적한다. 목
측의 시선은 해안의 굽이침에서 끊어진다. 아마도 그는 또다

른 목측의 거점을 찾아서 해안선을 따라서 저편 굽이침 너머로 도리 없이 이동해야 할 것이다. 그가 그렇게, 기어코 눈물겹게 확인해내는 생사의 경계선은 대동여지도가 그려낸 해안선의 굽이침이고, 김명인의 여러 시 속에 들어 있는 막막함 또는 소멸의 정서다. 소멸되는 것들이 소멸되면서 그 마지막 실종의 순간에 남기는 금線의 궤적이 세계의 최변방 금을 이룬다. 그 최변방은 김명인의 많은 시들이 보여주듯이, 살 수도, 낄 수도, 말할 수도 없는 세상이다. 김정호와 김명인은 그 세상에 몸과 마음을 비벼서, 소멸하는 것들의 마지막 금을 건져올려서 해안선을 그리거나 시를 씀으로써 그 마지막 금으로써 세계의 확실한 외형을 삼는다. 그리고 그들은 그 변방 극지로부터 아주 조심스럽고, 그러나 뜨거운 목숨의 반격을 시작한다. 그들의 반격은 세계의 확실한 의미를 거머쥐기 위한 반격이다. 그들의 반격의 몸짓은 깊은 정신주의에 침윤되어 있는 듯하지만, 그 정신주의는 행려와 표랑, 세상으로부터의 겉돌기와 헤매기, 외로움과 막막함, 눈물과 고통과 그리움에 의해 매우 잘 절여진 것이어서, 정신주의는 승천하지 못하고 세상의 지표 위로 아주 낮게 깔리면서 세상의 마을과 마음을 자리잡게 한다. 나는 그 정신주의에서 제 혀를 빼서 제 상처를 핥는 짐승의 외로움을 보았다.

변방 극지로부터 삶의 중원을 겨누는 김명인의 조심스런 반격은 대체로 그의 많은 시들의 마지막 연에서 이루어진다. 나는 이런 대목들에서 김정호와 김명인이 가장 가깝게 접근하거나 김정호가 김명인의 시행 속에서 행건 친 미투리에 도포자락 날리며 세계의 변방 경계선을 따라 휘적휘적 걸어가고 있는 것을 느꼈다. 그 예를 보이는 것은 어렵지 않다.

그렇다 헤쳐가야 할 날들이 어디에고
밤새의 거친 눈발로 널린다 해도
우리의 化石된 꿈 아직도 피묻은 깃발로 걸려
저 미치도록 막막한 그리움으로 나부끼는지
화천, 익명의 세월을 살아 어느새
찢어 발겼던 마음 모두 내게로 모여오는 것일까
_「화천」 중에서

살아서 마주 잡는 손 떨려도 이 가을
끊을 수 없는 강물 하나로 흐르기로 하자
더욱 모진 날 온다 해도
_「가을 江」 중에서

나는 가리라, 남겨진 모든 시간도 더는
위안 없는 마음밭 얼룩진다 해도
많은 물음 내게 와 닿고 또 끝끝내 남겨진 의문으로
저 수많은 자책의 비탈 많은 세월을 향해

                   _「머나먼 곳 스와니 · IV」중에서

그렇다, 부두에 매여 늘 출렁거리던 빈 배들도
옷자락 풀어놓고 어서 떠나라고
해 지고 바람 불면 더욱 적막한 눈발로 재촉하던
저 헝클어진 고향의 목소리를 헤아리기라도 했을 것인가?
그것이 썩어서 만들어준 거름 몇 짐으로
내 언제나 비틀거렸을 뿐, 쓰러지지 않고 비틀거렸을 뿐
임을
흐려지는 차창 너머로 비로소 보여주는 후포
이제는 눈물겨운 풀꽃 몇 송이로 겹쳐 보이는

                              _「厚浦」중에서

　후포는 김명인의 육신의 고향이며 시의 고향이다. 경북 울
진 동해안의 가물거리는 어촌이다. 해안선을 바짝 끼고 달리
는 큰 산맥이 사람들의 삶의 자리를 옥박질러, 빠뜨려버릴 듯

바닷가까지 밀어붙였고, 거기까지 치달아내려온 검은 산맥의 그 사나운 앞발들이 가파른 수직경사를 이루며 물 속으로 잠겨드는데 바라보면 흰 갈기 날리는 물보라 사이로 젖은 등불 몇 개 넌출처럼 돋아나는 마을이다. 삶의 배면을 태백산맥이 '쾅쾅 못질해' 막아버렸고 삶은 아무런 보호막도 없이 해풍과 파도에 쓸리우고 있었다. 나는 김명인의 시를 생각하면서 그 마을과 해안선을 며칠 동안 쏘다닌 적이 있었다. 인간의 삶이 삶과 죽음, 육지와 바다가 맞닿는 경계선을 따라서, 길다랗고 아득하게, 몇 개의 넌출 등불로 가물거리면서 이어져가고 있었다. 마을들의 삶은, 낯설고 이유 없는 적의의 시간과 바람에, 쓸리우면서 피흘리고 있었다. 그 변방 극지에서의 삶은, 인간이 더이상은 밀려날 수 없는 마지막 금線의 궤적을 이루고 있었다. 그리고 그것은 김정호의 해안선이었으며, 그 해안선에 겨울을 나기 위하여 날아오는 청둥오리들의 쓸쓸한 물자멕이었다.

산맥이 삶의 배면을 차단하고 있지만, 내륙 쪽으로 눈을 돌려도, 산맥의 커다람과 무서움은 그 전체의 윤곽을 보여주지 않았고, 커서 보이지 않는 검은 산맥은 삶의 너머에서 흉흉한 소문처럼, 그러나 확실하게 버티고 있었다. 목측 아득히 꺾여지는 먼 해안단애 너머로 노을의 끝을 물고 구름 몇 점 어둠 속으로 흩어지는데, 소멸하려는 육지의 마지막 금이 그토록 확실하고 뚜렷하게 살아남아 세계의 윤곽을 이루면서 세계를 지워버리려고 덤벼드는 낯선 시간과 해풍에 시달리고 있었다. 인간의 고향일 수 없는 그곳도 결국은 거기에 마음 쏠리우는 자의 고향일 수밖에 없었다. 다친 삶과 마음속에서 고향은 산맥의 어둠 속에서 돋아나는 먼 마을들의 넌출 등불처럼 다시 돌아오고 세워지고 있었다. 세상을 씻어주는 상처들의 정화력—나는 그 바닷가 마을에서 그런 것들을 생각하며 따스했다. 그렇게 쏠리우는 자들이 거대한 산맥의 꿈틀거림과 강물들의 만남과 헤어짐, 목측 너머의 해안선의 굽이침과 마을과 마을 사이의 거리와 방위를 헤아릴 수 있고, 그것을 그릴 수 있고 각판할 수 있으며, 비틀거리면서 그러나 쓰러지지 않고 그 변방 극지 한계령 너머에서 돋아나는 새로운 고향을 세울 수 있을 것이다. 고향에 집착하는 인간을 경멸한다는, 내 서두의 헛된 진술을 나는 이제 파기한다. 나는 속으로 운다. 나는 다시 쓰겠다. 나는 고향일 수 없는 고향에 마음 쏠리우면서 새롭게 고향을 세우는 사람들을 사랑한다. 내 고향 서울 종로구는 자동차와 먼지뿐이다. 고산자古山子여 내 고향을 네 대동여지도 속에 넣어다오.

오줌통 속의 형이상학 _ 질마재

산문의 어귀에서 사천왕과 그 부하들은 더러운 중생들의 숨통을 밟아 죽인다. 눈을 부릅뜬 그 장수들은 철퇴와 삼지창을 휘두르며 갓 쓴 지식인들의 수염을 잡아끌어 패대기를 치고, 말로 갈롱떨던 언설가들의 혀를 뽑고, 주판 튕기던 장사치의 손목을 자르고, 군인을 죽이고 탐관오리를 죽이고, 주정뱅이·도박꾼·사기꾼·난봉꾼·게으름뱅이·건달·왈짜 들을 모조리 죽이고, 음란한 계집들의 치맛자락을 들쳐올리고 밟아 죽인다. 죽이는 형국은 가혹하다. 삼지창으로 중생들의 등을 찍어 몸통을 관통해버리거나, 더러워서 손도 대기 싫다는 듯이 뒷짐을 진 신장들은 중생들을 버러지 밟듯 발로 으깨어버린다. 중생들은 으깨져버린 몸뚱어리의 국물 위에서 뒹굴면서 혀를 빼물고 죽어간다. 이 더러운 중생들아, 너희가 감히 욕망과 더불어 이 산문을 통과하려느냐. 산문의 어귀는 중생의 피와 욕망이 으깨어진 즙으로 질퍽거린다.

전라북도 고창 선운사 어귀에서 신장이 한 음녀를 잡아 죽이고 있다. 신장은 그 음녀의 치맛자락을 걷어올리고 허연 하체를 밟아 죽이려는 참인데, 참으로 희한하고도 절묘한 것은 그 죽어가는 음녀의 두 눈이다. 음녀의 한쪽 눈은 고통과 두려움에 질려서 떨고 있지만, 또다른 한쪽 눈은, 그 도덕적 분노에 가득 찬 사나운 신장을 홀리기 위하여 신장의 얼굴을 빤히 올려다보면서 샐샐 웃고 있다. 음녀는 그 벗겨진 하체에 신장의 눈길이 닿아주기를 바라고 있다. 우는 눈은 처절하고 웃는 눈은 간드러졌다. 그 여자의 허연 하체가 그의 울음과 관련이 있는 것인지 웃음과 관련이 있는 것인지 구별하기 어려웠다. 그 여자를 막 밟아 죽이려는 신장도 아마 그것을 구별하기는 어려웠으리라. 그 여자의 허연 하체는 죄의 이름으로 죄를 옹호하고 있었고, 죄의 간절함으로 죄가 사면되기를 빌고 있었고, 그 사면을 위하여 필사적으로 샐샐 웃고 있었다. 중생은 중생의 편인지라, 나는 그 여자를 구출해서 어느 한적한 술집에 취직이라도 시켜주고 가끔씩 들러서 한잔 마시고 싶었다. 나는 그 산문을 지나 선운사 대웅전으로 가서 부처에게 오체투지로 세 번 절하고 나서 빌었다. 세존이시여, 저 음녀의 허연 허벅지에 대한 해석학적 인식의 새로움에 도달하지 못하는 한, 저 문간의 음녀와 모든 중생들을 방면하여 주소서. 나는 빌고 또 빌었다. 나는 절 뒷산 꼭대기의 암자 속에 계시는 고려 적의 부처님에게도 빌었고 거기 내려다보이는 일몰의 서해에게도 빌었다. 산에서 내려와 절문을 나올 때, 나는 나의 기도에 대한 세존의 응답을 확인하기 위하여 다시 그 문간의 신장상을 들여다보았다. 세존은 그때까지도 그 중생들을 방면하지 않고 있었다. 중생들의 숨이 끊어진 것도 아니었다. 그들은 영원한 집행중이었다. 제미럴, 나는 약이 올랐다. 나는 음녀를 밟고 있는 그 신장의 사나운 두 눈 중에서 한쪽 눈알을 파내버리고 새로운 눈알을 만들어 넣고 싶었다. 그의 발 밑에서 죽어가면서 샐샐 웃는 음녀의 눈동자에 응답하는, 게슴츠레하게 웃고 있는 새 눈알을 만들어서 그 신장의 눈에 박아주고, 그 눈알의 시선의 각도를 음녀의 허연 하체에 고정시켜놓고 싶었다. 밤늦게 여관으로 돌아와 나는 또 별수 없이 미당未堂의 시들을 생각했다.

미당의 시들은 경험적 삶의 내용을 형이상학적 질서의 세계로 끌어올린다. 그의 시 속에서, 현실과 형이상학과의 교접은 능란하고도 자연스러운 것이어서, 어디까지가 현실이고 어디서부터가 형이상인지, 또는 현실에서 형이상으로 가는 길목과 거꾸로 형이상으로부터 현실로 가는 길목이 어떻게 교차되면서 뻗어가는 것인지 나는 잘 구별할 수가 없다. 나는 그런 구별을 단념한 채, "아조 할 수 없이 되면 고향을 생각한다"는 미당의 시행처럼 나 자신과 세상이 "아조 할 수 없이" 되어버린 것 같은 다 떨어진 저녁에 도리 없이 미당의 시를 읽으며 살아간다. 미당의 어떤 시를 마누라에게 읽어주면 그 시는 마누라의 바가지를 단 며칠 동안이라도 잠재우는 현실적 신통력도 있다. 꽃·바위·난초·벼락·뱀·구름이 나오는 미당의 초기 시들보다는 외할머니·할머니·어머니 그리고 이런저런 '사람'들이 나오는 미당의 시들 속에서 경험적 삶의 내용과 형이상의 질서가 조화롭게 공존하고 서로 받쳐주고 있다. 그 시 속에서, 경험적 삶은 영원 또는 보편에로 고양되고 형이상은 삶의 육질 위에 두 발을 디디고 선다. 그 상승과 하강이 나에게 편안한 까닭은 그 형이상이 경험적 삶을 형이상 자신의 내용으로 삼고 있기 때문이고, 그것이 '사람'을 경유해서 드러나고 있기 때문일 것이다. 시집 『질마재 신화神話』가 미당의 가장 좋은 시집이라고는 말할 수 없을 테지만, 그 시집은 나에게 언제나 그런 편안함으로 다가온다.

할머니가 나오는 미당의 시들은 아래의 시들을 포함하여 여러 편이 있다. 인용하면,

ⅰ) 할머니는 단군 적 박달나무 신발을 신고
두루미 우는 손톱들을 가졌었나니……
쑥 같고 마늘 같고 수숫대 같은
숨쉬는 걸 조금 때 가르쳐준 할머니는……

　　　　　　　　　　　　　_「할머니의 인상」 전문

ⅱ) 兇年의 봄 굶주림이 마을을 휩쓸어서 우리 食口들이
쑥버물이에 밀껍질 남은 것을 으깨 넣어 익혀 먹고 앉았는
저녁이면 할머님은 우리를 달래시느라고 입만 남은 입 속을
열어 웃어 보이시면서 우리들 보고 알아들으라고 그분의 더
심했던 大兇年의 경험을 말씀하셨습니다.

"밀껍질이라도 아직은 좀 남았으니 富者 같구나. 乙巳年
무렵 어느 해 봄이던가, 나와 너의 할아버지는 이 쑥버물이
에 아무것도 穀氣 넣을 게 없어서 못자리의 흙을 집어다넣
어 끄니를 에우기도 했었느니라. 그래도 우리는 씻나락까
지는 먹어치우지는 안했다. 새 가을 새 秋收를 기대려본 것
이지…… 그런데 요샛 것들은 기대릴 줄을 모른다. 씻나락
도 먹어치우는 것들이 있으니, 그것들이 그리 살다 죽으면
鬼神도 그때는 씻나락 까먹는 소리를 낼 것이고, 그런 鬼神

섬기는 새 것들이 나와 늘면 어찌 될 것인고 ……"

_「大凶年」 전문

iii) 외할머니네 집 뒤안에는 장판지 두 장만큼한 먹오딧
빛 툇마루가 깔려 있습니다. 이 툇마루는 외할머니의 손때
와 그네 딸들의 손때로 날이날마닥 칠해져온 것이라 하니
내 어머니의 처녀 때의 손때도 꽤나 많이는 묻어 있을 것입
니다마는, 그러나 그것은 하도나 많이 문질러서 인제는 이
미 때가 아니라, 한 개의 거울로 번질번질 닦이어져 어린 내
얼굴을 들이비칩니다.

그래, 나는 어머니한테 꾸지람을 되게 들어 따로 어디 갈
곳이 없이 된 날은, 이 외할머니네 때거울 툇마루를 찾아와,
외할머니가 장독대 옆 뽕나무에서 따다주는 오디 열매를 약
으로 먹어 숨을 바로 합니다. 외할머니의 얼굴과 내 얼굴이
나란히 비치어 있는 툇마루에까지는 어머니도 그네 꾸지람
을 가지고 올 수 없기 때문입니다.

_「외할머니의 뒤안 툇마루」 전문

iv) 바닷물이 넘쳐서 개울을 타고 올라와서 삼대 울타리
틈으로 새어 옥수수밭 속을 지나서 마당에 흥건히 고이는

날이 우리 외할머니네 집에는 있었습니다. 이런 날 나는 망둥이 새우 새끼를 거기서 찾노라고 이빨 속까지 너무나 기쁜 종달새 새끼 소리가 다 되어 알발로 낄낄거리며 쫓아다녔습니다만, 항시 누에가 실을 뽑듯이 나만 보면 옛날이야기만 무진장 하시던 외할머니는, 이때에는 웬일인지 한마디도 말을 않고 벌써 많이 늙은 얼굴이 엷은 노을빛처럼 불그레해져 바다 쪽만 멍하니 넘어다보고 서 있었습니다.

그때에는 왜 그러시는지 나는 아직 미처 몰랐습니다만, 그분이 돌아가신 인제는 그 이유를 간신히 알긴 알 것 같습니다. 우리 외할아버지는 배를 타고 먼 바다로 고기잡이 다니시던 漁夫로, 내가 생겨나기 전 어느 해 겨울의 모진 바람에 어느 바다에선지 휘말려 빠져버리곤 영영 돌아오지 못한 채로 있는 것이라 하니, 아마 외할머니는 그 남편의 바닷물이 자기 집 마당에 몰려들어오는 것을 보고 그렇게 말도 못하고 얼굴만 붉어져 있었던 것이겠지요.

　　　　　　　　　　　　　　　　　「海溢」전문

ⅰ) 시 속의 할머니는 단군 신시로부터 지금까지 이어지는 몸냄새를 간직한 할머니다. 그 할머니는 "숨쉬는 걸 조금 때 가르쳐준 할머니"이다. ⅱ)의 할머니는 흉년이 들어서 굶어도

씨나락을 까먹을 수 없다는 존명의 철리를 손자에게 가르치는 할머니다. 이 두 할머니는 역사의 담지자로서의 할머니다.

iii)의 할머니는 손자를 엄마의 매로부터 보호해주는 불가침의 지성소(툇마루)를 확보한 할머니이고, iv)의 할머니는 해일이 나서 바닷물이 마당으로 쳐들어올 때 바다에 빠져 죽은 남편의 혼백과 만나는 첫사랑의 할머니다.

iii)의 할머니와 iv)의 할머니는 미당이 제목에서 밝혀놓았듯이 분명히 외할머니이고 i)의 할머니는 외할머니인지 친할머니인지 미당은 밝혀놓지 않았지만 그 몸냄새는 어쩐지 친할머니의 몸냄새가 아닐까 싶다. 할머니는 아버지의 어머니일 수도 있고, 어머니의 어머니일 수도 있다. 아버지를 낳은 늙은 여자와 어머니를 낳은 늙은 여자의 몸냄새를 어린 손자는 아마도 분명히 식별하고 있는 것 같다. 친할머니는 삶과 역사에 규율을 세우고, 외할머니는 그 규율로부터 해방되는 낙원을 간직하고 있다. 한 여자가 늙으면 모든 늙은 여자는 외할머니인 동시에 친할머니다. 시 속의 그 어린 손자는 세계에 규율을 세우는 할머니 또는 생명의 영원성에 대하여 책임을 져야 하는 할머니와 그 규율로부터 인간을 해방시켜주는 할머니의 몸냄새를 식별하면서도, 그 두 할머니를 종합하고 있다. 그 할머니는 아버지의 어머니인 동시에 어머니의 어머니다.

선운사 부처님으로부터 아무런 응답도 받아내지 못하고 여관방으로 돌아온 나는 밤의 어둠 속에서, 부시럭거리는 비닐 홑청 요 위에서 뒤척이면서 미당을 생각했다. 나는 미당에게 죄 많은 음녀를 짓밟고 있는 그 신장의 눈구멍을 시로써 좀 어떻게 해달라고 부탁하고 싶었다.

얼마 전에 나는 봉직하고 있는 회사의 일로 질마재(전북 고창군 부안면 선운리 옆동네)에 갔다가 이 '외할머니'의 집을 보았다. 미당 연배의 질마재 노인들이 '그 시인네 외갓댁'이라며 안내해준 그 집은 질마재 네거리 '경운기가 교차할 정도의 농로'에서 바닷가 쪽으로 달랑 혼자 나앉은 오막살이 초가집이었다.

주인은 여러 번 바뀌었지만 한 번도 손을 대지 않아서 옛모습 그대로라고 마을의 어른들은 말했다. 눈물송이 같은 버섯의 초가집이었다. 쌀뒤주만한 방 두 칸은 흙벽이 드러나 있었고, 그 끝에 흙으로 부뚜막을 빚은 부엌 한 칸이 달려 있었다. 처마가 흘러내려 그 끝이 땅에 닿을 듯했다. 건넌방 앞으로 땟국에 절은 툇마루가 놓여 있었다. 어른 한 명이 누우면 꽉 찰 정도의 작은 툇마루였다. 시 속에 나오는 "장판지 두 장만큼한 먹오딧빛 툇마루"였다. 미당의 어머니의 처녓적 손때와 외할머니의 손때가 묻어 있는 툇마루였다. 미당의 생가는 이 외갓집에서 질마재 네거리를 건너간 산 아래 있었다. 어머니에게 꾸지람을 듣는 아이가 어머니의 매를 피해 이 외갓집까지 달려오려면 한 십여 분 걸릴 것이었다. 마루에 비치는 외할머니의 얼굴과 나의 얼굴이 나란히 손자의 낙원이었다. '어머니'의 어린 시절과 '나' 그리고 '외할머니'의 모습이 함께 비치는 이 때거울 툇마루까지는 "어머니도 그네 꾸지람을 가지고 올 수 없"었다라고 미당은 적었다.

그 툇마루는 지금도 사람의 얼굴이 비칠 정도로 때에 절어 있었다.

땟국 위를 걸레로 하도 문질러서 반들반들 윤이 나고 있었다. 이 때거울이 어째서 낙원일 수 있는가. 그것은 아마도 외할머니와 어머니로 이어져내려온 손때의 역사성과 그 손때의 주인공들이 모두 여성이라는 사실, 그리고 거기에 '나'의 모습이 '비친다'는 감각적 현실과 관련이 있을 것이다. 미당은 그 여성 혈육들 속에 규율과 자유, 현실과 형이상 같은 것들을 동시에 설정함으로써 '아버지'를 경유하지 않고서도 편안하게 낙원과 역사성에 도달할 수 있었던 것 같다. 미당의 할머니는 외할머니인 동시에 친할머니다.

질마재의 노인들은 미당의 『질마재 신화』에 나오는 이야기들 —오줌줄기가 뜨거운 이생원네 마누라, 마른 명태를 잘도 뜯어 먹는 눈들 영감, 애 못 낳는 한물댁, 소하고 ×한 놈 같은 인물들의 이야기를 꺼내자, 이 빠진 잇몸을 드러내며 깔깔 웃었다.

"아, 그렇지, 그런 예팬네가 있었어. 요 윗마을에서 시집온 예팬네였지"라면서, 노인들은 그 인물들이 그후 어떻게 살다가 어떻게 죽었는지까지도 기억하고 있었다.

질마재 마을에서 나는 신화 또는 형이상의 세계가 가난하고 때로는 비속하기도 한 현실의 삶과 도대체 어떻게 접목하는 것인지에 관해서 아주 조금은 알 수 있을 것 같았다. 거미처럼 까맣게 늙은 채 살아 있는 질마재 노인들의 그 웃음은 참으로 행복한 가가대소였다. 노인들은 마룻바닥을 치며 웃었다. 그들이 시인이 아니기 때문에 무의식의 심연에 육화된 신화의 세계를 언어 위에 실어내지는 못하는 것이지만, 그들의 웃음은 그 신화의 세계를 넉넉하게 긍정하고 있었다. 그들은 한국인이었고, 질마재는 아무런 중뿔난 돌출성도 갖지 못하는, 가장 평범하고도 보편적인 한국의 농촌이었다. 그 마을의 삶 위에 건설되는 신화는 땅 위에서의 생명을 영원성으로 끌고 가는 것이며, 고난의 현실 안에 고유하게 내재하는 원초적인 신화에 의하여 새로운 형이상의 세계와 접목되고, 그 접목이 인간들의 생애 속에서 살아 있는 웃음으로 실현되는 행복한 통합을 나는 질마재에서 보았다.

언어에 매달리기를 젖먹이처럼 하는 나는 『질마재 신화』에 나오는 '비치다'라는 단어에 의하여 오랫동안 시달리고 있었다. 누워서 몸을 뒤척일 때마다 여관방의 비닐 홑청 요가 버스럭거렸다. 비닐 위에서의 잠과 꿈. 여관방 담벼락에는 2인 1실에 9천원이라는 요금표와 지명수배자 명단과 간첩을 신고하는 전화번호가 붙어 있었다.

'비친다'라는 것은 무엇인가. 때거울 툇마루에 외할머니와 손자의 얼굴이 비치고, 똥오줌을 담은 소망통 속에 하늘의 해와 달과 별이 비친다. 아마도 그 '비침'은 역사성 또는 영원성이 인간의 삶과 의식 속에 투영됨으로써 현실 속의 인간으로 하여금 낙원을 끝끝내 상실치 않게 해주는 어떤 신화적 작용이 아닐까. 그 신화 속에서, 짐승을 사랑해서 ×을 한 목동과 밥을 빌어먹는 거렁뱅이들도 성인이나 신선이 될 수 있다. 질마재는 미당과 그 선대들의 오랜 고향이었다. 『질마재 신화』는 미당 개인이 포착해낸 공동체의 신화일 것이다. 그 공동체는 질마재일 뿐 아니라 한국이다. 나는 그 시들이 개인이 형상화해낸 공동 창작품이라고 생각하고 있다. 선운사의 부처님이 나의 간곡한 기도를 들어주지는 않았지만, 질마재 여관방 비닐 홑청 위에서 나는 그 음녀와 더불어, 마을의 노인들과 더불어 그리고 『질마재 신화』와 더불어 끝까지 불행하지는 않았다. 아직도 "아조 할 수 없이" 되지는 않은 모양이다.

염전의 가을 _ 서해/오이도

내일이 새로울 수 없으리라는 확실한 예감에 사로잡히는 중년의 가을은 난감하다. 거둘 것 없는 자들의 가을은 지난 여름의 무자비한 증발작용이 흰 소금의 앙금을 벌판 가득 깔아놓은 서해 남양만의 염전에서 오히려 편안하리라. 소금밭의 가을은 바래고 바래서 더이상은 증발될 것이 없는, 하염없는 말라 비틀어짐의 가을이다. 세계가 세계사에 의하여, 또는 문명이나 논리에 의하여 가득 채워져 있다고 믿는 사람들에게 썰물의 서해는 감당할 수 없이 막막한 빈 공간을 안겨다준다.

아득한 염전 벌판이 끝나는 곳에서부터 다시 아득한 갯벌이 펼쳐지고, 바다는 그 갯벌이 끝나는 곳까지 물러가 있다. 수인선水仁線 협궤열차에서 내다보면 염전의 지평선과 그 너머 바다의 수평선이 이 세상 너머의 또다른 협궤철로처럼 좁은 폭의 평행선을 이루며 수인선을 따라온다.

염전 벌판에는 지난여름의 졸아붙이는 단 솥 속의 고난이 소금의 알갱이로 허옇게 말라붙어 있고, 저무는 벌판의 가장 자리에 듬성듬성 들어선 검은 소금창고들은 건축물로서의 손톱만한 미학적 허세마저 모두 내버리고 단지 세월에 의하여 바래어져가고 있다. 염전 너머의 갯벌에는 바다의 질퍽거리는 밑창이 파렴치하게도 드러났고 갯벌 위로 실핏줄처럼 패어진 도랑을 따라 양수기 모터를 동력으로 삼는 0.5톤짜리 고깃배는 포구로 돌아온다.

열차 차창 밖으로, 수평선과 지평선이 이루는 협궤철로는 저무는 바다 속으로 함몰되고 있었지만, 지상의 수인선, 막차 안에서는 팔다 남은 생선 몇 마리를 싸가지고 돌아가는 사내들이 막대저울을 옆구리에 낀 채 열차 바닥에 주저앉아 졸고 있었고, 역사驛舍는 없고 이정표만이 꽂혀 있는 포구마을의 간이역마다 그 사내를 마중나온 아낙네들이 서해의 황혼에 젖어 있다.

수인선 군자역에서 소금창고가 들어선 염전 둑길을 따라서 육지의 끝 오이도烏耳島에 이르는 서해의 공간은 시인 김종철金鍾鐵의 상상력의 고향이다.

그의 시적 상상력은, 어떠한 문명에 의해서도 채워지지 않는 이 막막한 공간을 육지와 바다, 삶과 죽음, 존재와 부재 사이의 완충지대로 파악하고 있다. 이 완충지대는 삶과 죽음, 이승과 저승 사이를 표류하는 부랑의 공간이지만, 이 떠도는 신기루의 공간을 삶의 영역 안으로 평정해 들이려는 노력에 의하여 그의 가장 힘있는 시행들은 쓰여지고 있다.

> 작은 풀꽃이 무심히 피고 지는 것을
> 너희들은 보고 또 보았으리라
> 배고프면 밥 먹고
> 졸리우면 잠자는 것
> 땅에 발을 딛고 사는 것이
> 허공에 외줄 타는 것보다 더 어려운 까닭을
> 이제는 뉘에게 물어볼까
> (……)
> 내일을 다시 꿈꾸고 사는 것들은
> 너희들의 드러나지 않은 상처를 껴안고
> 눈물은 입으로 절망은 눈으로 노래하는 것밖에 없더라
> 새는 날개로 날아다니지만
> 너희들은 주기도문의 꿈 밖을 헛날고 있더라
> 　　　　　　　　　　　　　　_「떠도는 섬」 중에서

부산의 바닷가에서 태어나 성장하고, 지금은 경기도 안양에서 밥벌이를 하고 있는 시인 김종철은 가을이 깊어지면 안양의 한복판에 앉아서도 서해로부터 밀려오는 바다의 소금기를 감지할 수 있었다고 한다.

　　그는 가을의 후각에 의하여 서해의 염전 벌판과 오이도를 찾았고, 그의 「오이도」 연작은 그의 오랜 서해 편력의 소산이다.

　　그의 상상력 속에서 오이도는 파도에 실려 떠내려가는 표랑의 섬이고, 삶과 죽음 사이를 신기루처럼 떠도는 불귀순不歸順의 섬이지만, 염전 벌판의 소금으로 잦아들더라도 거기에 삶을 엉키게 해야 할 그리움의 공간이다.

　　　매일 밤 수의를 입은
　　　어머니 꿈을 꿉니다
　　　그때마다 나는 꿈속에서
　　　눈물을 한없이 흘립니다
　　　그러나 정녕 마음이 아프고 슬픈 것은
　　　나의 몸은 보이지 않는데
　　　내가 울고 있는 일입니다

　　　　　　　　　　　　　　　_「烏耳島6」 전문

이 시에서 그는 삶과 죽음, 존재와 부재 사이에 낀 피흘리기의 삶을 보여주고 있지만

　　젖은 사내들의 고장난 나침반이
　　물살을 따라오며 다시 젖는다
　　젖은 것들은 밤마다 섬으로 건너와
　　늙은 까마귀와 함께 운다
　　이 마을을 떠나지 못한 과부 아낙들이
　　밤마다 함께 운다
　　새벽 두시의 염전 바닥이
　　조금씩 마른다

　　　　　　　　　　　　　　_「烏耳島3」 중에서

와 같은 시행들은 삶의 수분을 모두 빼앗기고, 떠도는 땅의 땅바닥에 한줌 소금으로 엉겨붙는 삶을 말하고 있다. 마지막 두 줄이 이루어낸 시적 성취에 의하여 이 시는 진부한 인생론에 빠지지 않는다.

　서해의 갯벌에서는 마음에 삶의 상처가 우두자국처럼 인각되어 있는 많은 사람들과 만날 수 있다. 염분에 전 갯벌의 후미진 구석마다 월곶, 고잔, 사리, 소래, 군자, 옥구도, 오이도의 염

전마을이나 작은 포구마을 들이 들어서 있다. 거기에서의 생계는 갯벌로 가로막혀 아득히 닿을 수 없는 바다로부터 얻어진다.

바다의 드나드는 물살을 거역할 힘이 없는 0.5톤짜리 고깃배들은 그 앞바다까지 나아갔다가 밀물의 맨 앞자락에 실려 갯벌로 돌아온다. 갯벌에서 마을까지는 갯벌 위에 패어진 도랑을 따라 들어온다. 고깃배가 마을에 닿는 저녁마다 포구에서는 생선과 곡식을 바꾸는 작은 교역들이 이루어진다.

황해도에서 쪽배를 타고 남쪽으로 내려온 실향민들이 이 작은 포구마을들에 모여 살고 있다. 사내들이 바다로 나간 낮시간에는 아낙네들이 긴 일렬종대를 이루며 갯벌을 건너간다. 아낙네들은 바다가 시작되는 갯벌의 가장자리에서 갈고랑이로 갯벌을 찍어 대맛, 빗죽, 가무락 등 조개 종류와 낙지, 소라를 캐낸다. 바다의 새들이 아낙네들의 사이사이에 내려와 앉아 부리로 갯벌을 쪼아 먹이를 뒤지고 있다. 황해도 출신 월남 실향민의 2세인 박영길朴英吉씨는 고깃배 2척을 부리는 구릿빛 어부다.

그는 단지 바다의 물길과 바람결, 그리고 어족들의 까다로운 습성만을 말할 뿐 그 삶이 쓰다 달다에 관해서는 일언반구도 하지 않았다. 그는 단지 "당신은 살기가 어떤가?"라고만 말했다. 삶의 응축된 현장 앞에서, 대체로 글을 쓴다는 짓거리는 참담한 것이라고 그의 눈은 말하고 있었다. 해풍에 시달린 그 눈은 두꺼운 결막에 의해 보호되고 있었다.

가을은 김종철의 시의 한 주조음을 이룬다. 거둘 것 없는 도시 소시민의 가을을 노래할 때도 정서의 바탕은, 삶과 죽음의 완충지대에서 고난의 소금이 허옇게 엉겨 있는 이 서해 염전 벌판의 가을에 닿아 있다. 그의 가을은 잡히지 않는 삶의 막막함 위에 삶을 세울 수밖에 없는 자의 빈 가을이다.

딸아, 잠시 후면 바람이 불고
잠시 후면 날이 기울고 그림자가 갈 때
이 젊은 애비가 붙들고 있는
거친 들을 너는 보게 될 것이다
아직 세상의 아무 이름도 갖지 않은 딸아
네가 가질 바다와 숲과 땅에
어찌 북풍으로 그 품을 채우겠느냐
가을은 언제나 노루와 들사슴으로 우리에게 부탁하더라
오직 우리의 살이 아프고 마음만 슬플 뿐이더라
딸아 빛은 어두운데 가깝다 하는구나
이 애비가 너와 함께 어느 때까지 말을 찾겠느냐
                                    _「딸에게 주는 가을」 전문

서해 염전 벌판의 가을은 인간의 상처에는 보상이 없다는 것을 가르쳐준다.

그 염전의 가을은 삶에 왕소금을 비벼넣는 가을이다.

"떠도는 고난의 섬 오이도는 더이상 서해의 끝에 있지 않다. 그 섬은 이제 내 마음속으로 옮겨왔다. 내 마음속에서 그 섬이 자라나고 있다"고 김종철은 말했다. 어두워지는 소금벌판을 한참 동안 바라보다가 캄캄해져서 여관으로 돌아갔다.

시간과 강물 _ 파주, 문산

여름의 산맥들은 강건하다. 땅에 가득히 꽂히는 여름의 빗줄기는 살아 있는 것들의 물 속 깊은 곳에 가두어진 비린내를 몸 밖으로 밀어내 뜰과 거리에 가득 차게 한다. 비오는 날은 거리에서 마주치며 엇갈리는 모르는 여자들도 비린내를 풍기고, 개집 속에서 대가리만 내밀고 빗줄기를 바라보는 우리집 잡종견조차도 생명의 날비린내를 주체하지 못한다.

사나운 빗줄기가 오래오래 땅을 두들기고 나면, 쏟아져내리는 산골짜기의 물은 대가리를 바위에 정면으로 부딪쳐 으깨지면서 합쳐진다. 물들의 깨어짐과 합쳐짐은 구별되지 않는다. 그것들은 깨어지면서 합쳐지고, 합쳐져 흐르는 흐름이 다시 깨어지면서 큰 흐름을 이룬다. 여름 골짜기에서 흐른다는 것은 깨어진다는 것이다. 그것들은 그렇게 저희들끼리 동행하고, 수다스럽게도 두런거리고 우당탕거리며 말을 걸어오지만, 그것들이 걸어오는 말을 나는 해독하지 못하고 응답하지 못한다.

비가 걷히고, 두꺼운 구름장을 밀어내고 해가 비치면 여름의 젖은 산맥들이 뿜어내는 비린내와 들의 흙비린내가 환호하는 엽록소의 들판에 가득하다.

산하는 그것을 바라보는 인간의 마음속에 그 산하의 대응물을 자리잡게 한다. 마음속의 산하는, 그 마음의 주인인 인간을 건너뛰어 자연 속의 산하와 쉽게 합쳐지는 것이어서, 산하는 그것을 안타깝게 바라보는 자로부터 바라본다는 동작을 마침내 소멸케 하고 인간을 산하의 일부로 편입시킨다. 인간의 언어가 그 편입에 필사적으로 저항하지만 이기지는 못한다. 말이 되어질 수 없는 것들이 마음속 말의 넌출을 잡아당겨, 뭐라고 뭐라고 쓸데없이 지껄이게 된다.

여름의 파주·문산 들판에서 나는 말과 말하여질 수 없는 것들이 들러붙는 교접을 보았다. 그 들판은 혼교混交의 들판이었다. 강과 산이, 구름과 구름이 젖은 여름 산맥의 비린내 속에서 들러붙고 있었고, 지나간 시간과 닥쳐올 시간이 들러붙으려고 조바심치고 있었다. 살아 있는 모든 것들의 삶이 뜨거운 들판 위에서, 뜨거운 태양 아래서 일제히 함성을 지르듯 작열하고 있었다. 임진강 너머 북쪽 산맥들은 젊은 공룡의 등지느러미 같은 산세로 반원을 그리며 들의 북쪽을 휘감았고, 파주·문산 들판의 외곽을 두르는 산들이 남쪽의 반원으로 맞닿는 사이로 임진강이 크게 뒤채면서 흐르고 있었다. 젖 잘 도는 젊은 어머니처럼, 젖어서 부푼 여름의 산맥들은 푸르고 강성했고, 들판의 옥수숫대 솟는 소리 우적우적 들려왔다. 가까운 산맥들은 그 젊은 나신裸身의 빛남을 뽐냈고, 먼 산맥들은 운무 속에서 겸허하였다.

북쪽의 산맥 위를 뒤덮은 구름은 아직 형태를 갖추지 않고 다만 밀려다니는 구름의 원료로 떠돌면서, 점점 하늘 한복판으로 솟아오르며 구름의 형태를 갖추어가는데, 태양의 빛을 정면으로 빨아들이는 그 가장자리는 희고 푸르게 작열한다. 그림자를 늘어뜨려 산맥들을 쓰다듬고 이동하는 구름의 무리들은 그 작열하는 가장자리를 서로 포개면서 합쳐진다. 구름의 가장자리들은, 부재하는 것들이 합쳐지는 것처럼, 그처럼 유연하고 완벽하게, 구호도 없이 협상도 없이, 감격도 없이 감창도 없이, 저 자신의 타오르는 빛을 버리고 스밈으로써 합쳐진다. 합쳐진 그것들의 가장자리들이 구름의 맨 앞장에서 타오르던 그 치열함을 버리고 둔중한 회색의 바다 속으로 함몰되어갈 때, 합쳐져서 새로워진 구름은 또다시 새로운 가장자리를 만들어 타오른다.

여름의 파주 들에서는 바람의 방향을 가늠할 수 없다. 남쪽과 북쪽의 산맥과 그 사이를 흐르는 강가에 바람은 흔들리면서 출렁거리면서 가득 차는 것이어서 그 흔들림이 어디서 어디로 가는 과정인지 알 수 없었다. 흔들면서 그리고 흔들리면서 지나가는 그것들은 바쁜 풍향의 계통을 모두 버리고, 강물을 따라 오르내리면서 이쪽 산맥과 저쪽 산맥을 번갈아가며 간지럼 태우는 노는 바람이었다. 노는 바람의 패거리들이 폭양 아래서 증발되는 젖은 산맥의 비린내를 들판으로 실어내리는 것이었는데, 파주의 여름 하늘에서 구름의 가장자리가 포개지듯이, 산맥들의 비린내는 바람에 실려와 파주의 들판에서 포개진다.

바람이 실어오는 그 비린내는 질리고 물리도록 인간의 가슴을 가득 채우는 것이어서, 살아 있는 산맥의 그 날비린내 속에 빠져 허우적거릴 때, 저 출렁거리는 비린내는 냄새로서 감지되지 않고, 다만 산 자들이 쉬어야 할 숨 속으로 아늑하게 파고들어와, 살아서 숨쉬는 자의 마음속에 한 젊은 산맥을 자라나게 한다. 어느 갈 수 없는 고원과 강굽이를 뒤돌아오는 것인지, 한줄기 바람이 인간을 훑고 지나갈 때, 지나간 바람의 끄트머리와 닥쳐오는 바람의 대가리 사이에서 열기처럼 달아 있는 비린내 속에 갈 수 없는 먼 산맥들은 우뚝우뚝 일어선다.

분단의 협곡마다 물줄기를 아우르며 흘러온 임진강은 문산에 이르러 저편으로 돌아눕듯 몸을 뒤채인다. 강물은 성난 예각으로 가파르게 휘어지면서 산맥과 들을 향하여 등을 돌리고 서해로 간다. 양안兩岸을 철조망으로 결박당한 그 참혹한 강은, 그러나 맑은 들과 원시의 시간 속을 흘러 순결하다. 강은 눈먼 미녀처럼 저 자신의 아름다움을 알지 못하고 총검의 숲을 지나 분단의 틈바구니를 흐른다. 썰물의 얕은 갯가를 찾아서 내륙 깊숙이 날아오는 바다의 새들은 날갯짓 한 번도 없이 연처럼 고요히 날아 물가에 착륙한다. 바다로 나아가는 어귀에서, 문산을 버리며 크게 뒤채는 강의 갈라짐은 사산되는 아이를 분만하는 임부의 가랑이를 생각나게 한다.

인간의 생명 속으로 흘러들어오지 않는 시간들, 역사로부터 겉돌고 헤매는 저 귀순하지 않는 낯선 시간들이 강물에 실려서 떼지어 바다로 밀려가고 있었다. 그 시간들은 순결하고 무균한 무죄의 시간들이었으며 순결해서 불모인 시간들이었다. 인간이 그 무균한 시간을 배척해버린 것인지, 아니면 인간을 이편 기슭에 세워놓고 낙태되는 시간이 혼자서 흘러가는 것인지, 분단의 틈바구니를 흐르는 강물 위에 실리는 시원始原의 시간들은 뒤채는 강물의 자궁으로부터 무더기로 사산되어 바다로 떠내려갔고, 그 강가에서 신의주행 미카 244 기관차는 잡초 속에 녹슬어 있다.

바다로 몰려가서 빠져 죽는 그 시간들을, 그 여름 산하의 비린내처럼 인간의 육신 속에 끌어넣을 수만 있다면, 그 시간은 새벽 안개처럼 신생의 비린내를 풍기고 있을 것이었고, 그 순결한 시간의 텃밭 위에서 인간은 정당하게도 삶의 쇄신을 꿈꿀 수 있을 것이었다. 그러나 임진강이 내려다보이는 문산의 산언덕에서는, 분단의 양안 사이에서 새롭게 태어나는 시간들이 인간의 기슭으로 상륙하지 않고 강물에 실려 썰물의 바다로 쏟아져내려간다. 양쪽 기슭에서, 고여서 썩어가는 시간들이 흘러 떠내려가는 시간을 바라보며 발을 동동 구르고 있다. 산맥들의 비린내가 합쳐지고, 구름의 가장자리가 합쳐지는 파주·문산의 여름 강가에서 신생하는 시간들은 강의 양쪽 기슭에서 굳어져버린 시간의 가장자리를 핥는다. 강이 흘러가는 아득한 저쪽은 여름의 더운 증기 속에서 흔들렸고, 몽롱하고도 완강한 산굽이들이 풀어질 듯이 강물 속에 잠겨 있었다.

서울역을 떠나는 경의선 비둘기호는 수색·화전·백마처럼, 작고 아름다운 이름을 가진 마을들을 지나 불과 한 시간 만에 문산에 닿는다. 열차는 강성한 산맥들의 비린내 가득한 들을 지나 북으로 달리지만, 시간이 사산되는 임진강을 넘어가지는 못한다. 폭양 속을 달리는 그 열차는 상처받은 큰 짐승처럼 고열에 헐떡거리며 그 강가에 당도하고, 그리고 그 서럽고 캄캄한 짐승은 단선의 레일을 따라 되돌아간다. 임진강은 저만의 시간 속을 흐르고, 열차는 강을 따라 흐르는 새로운 시간 속으로 진입하지 못한다. 강이 등을 돌리고 시간이 떠내려가는 그 강언덕에서 내려다보면, 되돌아가야 할 열차 한 대가 또다시 헉헉대면서 그 푸르른 들판을 건너오고 있었고, 신생하는 시간에 의하여 버려지는 삶은 그 강력한 여름 산하에서 끝끝내 외로웠다.

먹이의 변방 _ 소래, 부안

바다를 향해 흘러내려온 땅이 물가에 닿지 못하고 기진맥진해버린 곳에서 육지를 향해 밀려드는 바다는 육지에 닿지 못하고 기력이 쇠진하여 잦는다. 포구에서, 바다와 육지는 아득한 개펄을 사이에 두고 떨어져, 땅의 견고함과 바다의 흔들림이 개펄의 질퍽거림 속에서 서로 스미는 것이었지만, 개펄 너머의 인간의 마을들과 개펄 너머의 바다는 너무 멀어서 저 질퍽거리는 개펄의 스밈은 만나려는 것들이 우선 그 최초의 가장자리를 겹치고 있는 것인지, 아니면 헤어지려는 것들이 마침내 떨어져버릴 마지막 가장자리를 겨우겨우 포개고 있는 것인지를 포구에서는 판독할 수 없었으나, 판독되지 않는 개펄의 물고랑을 따라 먼 바다로부터 빈곤한 물줄기 한 자락 내륙으로 흘러들어 삶의 끈을 이룬다.

포구에서, 생산자는 자연의 먹이사슬의 정점에 서고, 그 정점으로 인간의 먹이사슬의 맨 밑바닥을 받친다. 포구에서 육지의 견고함과 바다의 흔들림은 밀물에서 삼투하고 썰물에서 배척했는데, 그 삼투와 배척이 포개어진 박모薄暮의 개펄 위에서 자연의 먹이사슬과 인간의 먹이사슬은 그 꼭대기와 밑창을 포개면서 먹기와 먹히기의 고리를 교대한다. 그리고 먹어야 하는 것들은 먹히기의 틀 안에서만 먹을 수 있었고, 먹히는 것들은 먹히어야만 먹을 수 있었음으로, 자연의 먹이와 인간의 먹이가 만나는 그 개펄 위에서 먹고 먹힘은 결국 동의어 반복에 지나지 않았다. 개펄을 들쑤시는 생산자의 먹이는 자연의 먹이고리를 헤치고 나와 인간의 먹이고리 속으로 편입되어 들어오면서 먹이 위에 세워지는 문명사를 이루는 것이었지만, 인간의 종과 속에 속하는 한 생산자는 자연의 먹이사슬의 최정상에 올라서야만 먹을 수 있다는 운명과 그리고 저 자신의 생산을 인간의 먹이사슬의 맨 밑창으로 내주어야만 먹을 수 있다는 또다른 운명을 한 점의 먹이 안에 수용하는 것인데, 수협 위판장 시멘트 바닥에 건져올려져 펄떡거리는 한 마리 물고기 속에서 저 두 운명이 서로 찌르고 찔리우면서 마침내 함께 죽어 이른바 문명사의 먹이를 이루는 모습을 비극이라고도 고통이라고도 말할 수 없었고, 그저 한바탕의 운명이라고나 해두는 편이 차라리 속편한 화법이었으되, 저 운명을 위로한다는 것은 혁명으로도 경전으로도 불가능했고, 살아서 지상에 부지하기를 원할진대 그 운명에 머리를 디밀고 순치되는 편이 오히려 위안일 듯한 물고랑을 헤치며 고단한 고깃배 한 척 내륙으로 돌아올 때, 물가의 선착장에는 그 남루한 배들에 실려오는 물고기를 사려는 남루한 인간들이 플라스틱 바구니를 옆구리에 끼고 떼지어 서성거리고, 저들이 시멘트 바닥에 내버리는 생선의 내장과 대가리와 지느러미와 게들의 떨어진 발가락들과 조개껍데기 속에 붙어 있는 살점들을 쪼기 위하여 배고픈 아이의 울음을 우는 바닷새들은 귀환하는 배들의 뒤를 따라 내륙 깊숙이 날아온다. 그렇게 해서 자연사 속의 먹이와 문명사 속의 먹이는 저녁 소래포구의 선착장에서 만나는 것이었는데, 생산자가 문명의 최변방에 세워야 하는 삶에 대한 직접성은 자연에 대한 직접성과 인간에 대한 직접성—이 모순의 양극을 한 마리의 물고기 안에서 통합하는 것이었으며, 저 먹이의 문명사를 일컬어 무슨무슨 주의라고 규정하는 모든 짓거리와 싸움박질은 오직 이 통합된 직접성 위에서만 판을 벌일 수 있었고, 생산자의 먹이 속에서 그 직접성은 은유나 상징으로 존재하는 것이 아니라 건져올려진 한 마리 물고기의 뒤채임 속에서 살아 퍼덕거렸고, 시멘트 위의 물고기는 살기 위하여 뒤채는 퍼덕거림으로 죽음을 재촉했다. 배 돌아오는 저녁 소래의 선착장에서 먹이의 역사는 그것이 자연사이건 문명사이건 끝끝내 인문화될 수는 없었고, 먹이의 역사가 인문화되지 않는 이유는 그 역사 안에서 이미 충분히 설명되고 있었는데, 그 이유는 그 역사가 먹이에 바탕하고 있다는 운명적 조건, 바로 그것이었다. 선착장에 배가 닿을 때마다 사람들은 옹기종기 모여 짧고 신속한 교역을 벌였고, 교역을 마친 배들은 선착장 맞은편으로 펼쳐진 나문재 개펄에 이물을 들이박고 다음 물때를 기다린다.

포구의 무질서한 풍경은 아름다움도 추함도 아니었고 다만 어떤 항거할 수 없는 필연성의 힘에 의하여 펼쳐지고 움직이는 풍경이었다. 물때의 사이에서 내륙의 포구로 돌아온 낡은 연안어선들은 개펄의 가장자리에 이물을 들이박고 정박했다. 배들의 도르래 틀과 깃대와 밀대와 찌그러진 양재기로 갓을 씌운 어등과 찢어져서 펄럭거리는 어기들이 빽빽이 세로로 들어차고, 배들의 갑판 위에는 끌어올려진 녹슨 닻과 그물과 통발과 갈쿠리와 스티로폼 부표뭉치와 그리고 소주병·고추장단지·양재기·숟가락들이 뒹굴었고, 연안을 벗어나는 근해 안강망어선의 갑판 위에는 담요·쌀통·디젤통·프로판가스통·얼음통·소금통, 빈 생선궤짝, 사린 밧줄뭉치들이 실려 있었는데, 물때와 물때 사이에서도 하선하지 않는 어부들은 정박한 배의 난간에 걸터앉아서 소주를 마시고 있다. 그 남루한 어선의 갑판 위에서 저 두 갈래의 먹이는 한 줄로 이어졌는데, 게의 먹이와 새우의 먹이와 대합의 먹이와 인간의 먹이가 하나의 끈으로 들러붙는 그 생산자의 공간은 오직 필요한 것들이 필요한 자리에 세워지고 널려져서 이루는 무질서의 공간이었고, 그러므로 그 풍경은 질서나 무질서를 일체 떠난 운명의 풍경이었다.

남루한 한 척의 어선은 그 운명의 풍경 속에서 먹이의 이쪽과 저쪽을, 그 고통스런 정상과 고통스런 밑창을 연결시키는 생산자의 때묻은 우주다. 개펄에 밑창을 댄 3톤 연안어선들의 피곤한 용골龍骨이 이물에서 고물까지의 그 짧은 거리를 힘겹게 가로지르며 선체의 등뼈를 이루었고, 고물에 뚫린 구멍 아래로 내밀어진 키舵는 밀고 써는 바다의 횡파橫波를 손바닥만한 널빤지의 두께로 받아내면서, 물고랑을 따라 바다와 포구를 오르내리며 먹이의 이쪽 끝과 먹이의 저쪽 끝 사이를 오가는 생산자의 방향성을 안쓰럽게도 버티어내고 있었다. 줄은 배의 반생명이라고 포구의 늙은 어부들은 말했다. 귀환한 배들은 이제 그 갑판 밑 어창 속에서 숨을 벌컥이는 물고기 몇 마리를 시멘트 위에 부리기 위하여 선착장 쇠말뚝에 밧줄을

던져 저 자신의 몸을 뭍의 가장자리에 묶는다. 배는 인간의 먹이의 맨 밑창에 저 자신을 묶기 위하여 제 몸 위에 밧줄을 싣고 다니는 것이다.

배의 밑바닥과 갑판 또는 옆구리를 이루는 널빤지와 나무기둥들의 이음새를 들여다보면, 그 널빤지와 나무기둥들은 패진 홈에 사개를 박고 서로가 서로를 옹물고 있다. 그것들은 자신의 존재의 하중을 인접한 널빤지에 기대고, 그 기댐으로써 다른 널빤지의 하중을 떠받치는데, 그것들의 기대기와 받치기는 모서리가 옹물리는 사개 속에서 합쳐져 배의 단단함을 이룬다. 한 척의 남루한 어선 위에 세워지는 생산자의 우주는 생에 대한 직접성으로만 채워지고 있었다.

젓새우는 포구의 시멘트 바닥에 부려지는 먹이들 중에서 가장 작은 먹이였다. 계화도나 부안의 바닷가 어부들은 고운 모래 위로 찰랑거리는 무릎 깊이의 바닷물 속을 뜰채로 훑어서 젓새우 중에서도 가장 작다는 쌀새우白蝦를 건져올린다. 바늘만한 쌀새우는 몸이 투명해서 물 속을 헤엄쳐다닐 때는 사람의 눈에는 보이지 않는다. 뜰채를 미는 사람들은 물 속을 훑어 눈에 보이지 않는 것들을 떠올린다. 소쿠리에 담겨진 쌀새우는 콩 튀듯 파닥거린다. 자연사가 시작된 알 수 없는 먼 시원始原의 시간 이래로 새우라는 종족의 자기 방어의 오랜 역사가 쌀새

우들의 그 바늘 끝만한 대가리와 가슴에 갑옷을 씌워놓고 있었다. 그것들은 갑각류인 것이다. 그것들은 너무 작아서 씹어서 삼킬 수가 없었다. 사람들은 그것들 위에 소금을 뿌려 새우젓을 만든다. 그 젓은 젓갈 중에서 최상품이다. 쌀새우로 담그는 젓갈의 냄새는 아리다. 그 냄새는 가장 빈약한 바다에서 건져지는 가장 애달픈 먹이들이 인간의 간에 절여진 냄새였고, 자연의 먹이와 인간의 먹이가 교대하는 생산자의 우주를 채우는 냄새였다.

가을의 빛 _ 섬진강/구례, 하동

구례에서 섬진강을 따라 하동 포구로 내려가는 19번 국도 연변의 가을은 크고 투명하다. 강을 따라 흘러내리는 지리산의 산자락들은 첩첩연봉을 이루며 출렁거리고 하류로 내려갈수록 강폭은 넓어지고 대안의 산들은 멀어진다. 그 굽이치는 산하에서 가을의 빛들은 바스러진다. 산들은 잘 말라 있다. 여름의 습기와 비린내가 빠져나간 산속에서 나무와 나무 사이의 공간은 헐겁고 서늘하다. 가을산의 나무들은 서로의 잎과 가지를 합쳐서 푸르고 강성한 산맥의 힘을 이루던 여름날의 밀생密生을 버린다. 가을에 나무들은 제 운명의 자리로 돌아가 뚝뚝 떨어져 서서 혼자서 겨울을 날 채비를 한다. 먹이와 땔감을 저장하는 것이 아니라 가진 것을 모두 버리고 존재의 앙상한 뼈만으로 겨울을 나는 나무는 얼마나 부러운 족속들이랴.

가을산, 나무와 나무 사이의 냄새는 존재의 핵심부를 버티는 뼈의 향기이고, 떨어져 있는 것들의 간격의 냄새다. 그 냄새는 가늘고 희미한 냄새지만 찌를 듯이 날카로운 냄새이고 다른 어떤 냄새와도 섞이지 않는 배타적인 냄새여서, 가을산 나무 냄새 속에서 인간은 포유류로 태어난 제 살의 누린내를 가장 확실히 맡을 수 있다. 뼈로 돌아가는 먼 산맥들이 헐겁고, 가을에는 강물조차 습기를 버린다. 가을의 섬진강은 여름날의 그 사나운 탁류를 모두 흘려보내고, 숙일 수 없는 머리를 끝까지 숙여, 흐르는 것의 뼈만을 챙겨서 흐르고 있었다.

나는 자연을 해독하거나 자연을 자아의 일부로 편입시키지 못한다. 나는 거기에 가담하지 못하고, 늘 그 바깥쪽을 서성거린다. 자연이 보이기 시작한다고, 미망迷妄처럼 스스로 느낄 때 나는 내가 무섭다. 나는 그 뒤를 감당해낼 힘이 없고 보이는 그곳으로 건너갈 길이나 문을 찾을 수가 없다. 자연은 매혹적이지만, 그 매혹의 간절함만큼 나를 멀리 밀어내고 나는 결국 그 거리를 이겨내지 못한다. 책 속에는 '대도무문大道無門'같은 겁나는 말도 있지만, 그곳으로 가는 길이나 문이 없다면 나는 그곳을 바라볼 수는 있지만 건너갈 수는 없다. 그러므로 풍경 앞에서의 내 주절거림은 갈 수 없는 곳을 바라보는 한 중생의 동어반복의 넋두리일 것이며, 그 주절거림은 자연 속에 자재自在하는 의미에 의해서가 아니라 그것을 바라보는 자의 내부의 부자유와 결핍에 의하여 주절거려지는 언어들일 터이다. 그것은 단절이며 차단이다. 그래서 나는 물리적 자연 속에는 우연과 필연 혹은 운명만이 존재할 뿐, 그 우연과 필연과 운명은 모두 인간의 자유에 대하여 무의미한 것이라고 우기면서 풍경의 밖을 서성거리는 내 자신을 달래고 있지만, 그러나 그럼에도 불구하고 자연은 매혹적이고 그 매혹은 행복이 아니라 고통이다. 도약은 사실상 이루어지지 않는다. 내가 불가능한 도약을 꿈꿀 때, 도약하지 않는 강물은 흐르고 흘러서 새로움에 당도하였고, 내가 세계를 분명히 하기 위하여 단순화시키려 할 때, 가을의 강물은 이미 뼈만 남은 단순성의 투명한 절정에서 흐르고 있었고, 세계는 단순화함으로써 분명해지는 것이 아니라 오히려 그 반대일 것이라고 내가 뉘우칠 때 가을의 강물은 지속되는 시간의 파장 속으로 흘러들면서 수억만 개의 새로운 빛의 가마들로 반짝이고 있었다. 늘 그렇게 어긋나게 마련이다.

가을의 마른 산하에 내리는 빛은 살아 있는 것들의 안쪽으로 깊이 파고 들어가 그 핵심부의 빛깔을 사정없이 드러낸다. 그렇게 드러나는 색깔은 모든 살아 있는 것들 속에서 개별적으로 고유한 운명의 색깔이다. 가을에, 익어가는 것들의 익음은 이룸이고 죽음이다. 그리고 그 이룸과 죽음은 순결한 빛이 폭로하는 무한수의 색깔 위에서 펼쳐진다. 습기가 빠진 투명한 대기 속을 날아오는 가을의 빛은 맑은 시간의 지속적 파장 위에 실려 있다. 빛과 시간은 순간의 미립자들 위에서 명멸하는 것들이지만, 빛은 시간 속을 통과해나오면서 경험되지 않은, 닥쳐올 빛의 미립자들을 일련의 지속으로 연결시키면서 흩어지려는 색들의 색깔을 감지할 수 있는 실체로 자리잡게 한다. 그 지속이 삶의 터전이다. 가을에, 살아 있는 육신의 눈으로 익어가는 것들의 색깔을 '볼 수 있다'는 은총은 그렇게 해서 이루어진다. 빛과 교접해서 색을 이루어내는 시간은 죽음과 무상을 향하여 일직선으로 내닫는 일방통행의 시간이 아니다. 빛과 교접하는 시간은 그 흐름 위에서 태어나야 할 것을 태어나게 하고, 살아야 할 것들을 살아가게 하고, 멀고 희미한 가능성 혹은 감지할 수 없는 잠재의 늪 아래 가라앉아 있던 것들을 현존의 표면 위로 떠오르게 하는 비옥한 시간이고, 사라진 것들의 꼬리를 무는 순환적인 시간이다.

가을빛 속을 흐르는 물은 헐거워진 산의 그림자를 거꾸로 비친다. 물은 선정禪定하듯 바닥으로 잦아들며 고요하다.

그 물 위에는 거꾸로 선 산속의 나무 한 그루까지도 비친다. 물은 흘러가지만, 흘러가는 물은 그 위에 싣고 있던 산 그림자를 잇닿는 물에게 넘겨주는데, 그 흘러감과 잇닿음에는 구획과 간격이 없는 것이어서, 흐르는 것들, 사라지는 것들 위에 비치는 산 그림자는 흘러서 사라지지 않는다. 가을의 빛은 익어가는 것들의 이름과 죽음의 색깔들을 사정없이 폭로하지만 빛 자체의 몸은 보이지 않는다. 익어가는 것들의 색깔은 붉거나 누렇거나 검다.

그 색깔들은 봄날의 비릿한 신생의 색깔이나 자지러지는 발랄함의 색깔도 아니고, 지나간 여름날의 그 강성한 색깔도 아니다. 익어가는 것들의 색깔은 그 완숙의 절정 밑에 조락의 쓸쓸함과 죽음을 수락하는 처연함의 색깔이 깔려 있다. 이룸과 죽음 사이의 구획을 허물고 삼투시켜, 그것들이 합쳐져서 드러나는 삶의 내용을 하나의 색깔이라는 구체적 현존 속에서 시각적으로 구현하여, 아직 살아서 보는 인간의 눈앞에 '보이는 것'으로 펼쳐놓는 가을빛의 저 말하여지지 않는 신비를 신앙심이 있는 사람이라면 초월자의 한 성정이라고 말해도 무방할 터이다. 말라서 바스락거리는 그 가을산의 한 계곡에서 나는 개울물을 투과해서 바닥으로 내려온 빛이 개울 바닥의 돌멩이들을 간지럼태우는 장난질을 보았다.

그것은 광활한 대지와 강과 산맥 위에 가득 차는 보편적이며 압도적인 빛이, 이 세계의 한 후미진 구석에 당도하여 그 보편적 지배력을 양보하고, 말을 배우기 시작한 어린아이처럼 지저귀고 깔깔거리는 귀여운 장난이었다. 물의 표면에 닿은 빛들은 눈에 보이지 않는 미세한 파동으로 흐르는 물 속을 투과하면서, 물의 파동만큼 미세한 파동으로 빛 자신의 몸이 흔들려, 그 흔들리고 출렁거리는 그림자로 물 밑의 돌멩이 위에서 놀았다. 그것은 지상의 모든 것들을 그 그림자와 함께 살게 하되 저 자신의 그림자를 보여주지 않는 빛의 그림자였고 흐르는 것들의 살아 있는 그림자였으며, 흐르는 것들을 이끄는 시간의 그림자였다. 그 그림자는 어둠이 아니라 밝음이었으며, 그 그림자는 그림자만으로서 또하나의 빛이었다.

세상을 말리는 가을의 빛은 널려진 고추와 옥수수와 감과 낟알 위에 내려 그것들의 습기를 증발시키고 그것들의 내면의 색깔을 드러나게 한다. 그리고 그 빛들은 마른 가을 강변을 어슬렁거리는 인간의 감추어진 운명이나 상처까지도 그 양명한 광선 속에 드러나게 하는 것이어서, 축축하고 질퍽거리는 곳에서 물기에 의하여 빚어지고 태어나서, 눈물과 욕망의 분비물 속에서 살아가는 인간을 몸 둘 곳 없게 한다.

태생胎生은 곧 습생濕生인 것이어서, 슬픔과 기쁨과 욕망의 절정에는 늘 물이 흐르고 습기가 고이는 모양이다. 가을산과 가을의 물과 거기에 내리는 빛은 풍장風葬의 흰 뼈를 생각게 했고, 습기 많은 나는 아직도 내 몸의 습기를 말리지 못한다. 가을 강가에서 나는 습기에 질퍽거리는 내 몸속의 물소리를 들었다.

저 일몰 _ 서해/대부도

일몰의 서해에서 소멸하는 것들은 언제나 현재진행형이다. 하늘과 바다와 개펄에 가득 찬 빛의 미립자들은 제가끔 하나의 단독자로서 반짝이고 스러지지만, 그것들은 그 소멸의 순간순간마다 다른 단독자들과의 경계를 허물어, 경험되지 않은 새로운 빛의 생성을 이루면서 큰 어둠을 향하여 함몰되어간다. 떼지어 소멸하는 빛의 미립자들은 시공 속에 아무런 근거도 거점도 없이 생멸했고, 다만 앞선 것들의 소멸 위에서만 생성되었고, 앞선 것들의 생성 위에서 소멸되었으며, 생성과 소멸의 종합으로서 함몰하였다.

저들의 생멸은 가볍고 유순하다. 저무는 빛의 미립자들은 그 소멸의 한복판에서 새롭게 태어나는 빛의 알맹이 속으로 사라진다. 생멸을 거듭하되, 생멸로 더불어 아늑한 빛의 알맹이들은 아직 어두워지지 않은 시간의 끈을 따라서 수평선 너머로 몰려가는데, 인간인 나는 그리고 역시 당신들은 새롭게 태어나는 빛의 알맹이에 철없이 매달리기 십상이어서, 저 신생하는 빛의 새로움 속으로 사라진 앞선 시간의 빛들과 그 뒷소식을 결국은 챙기지 못한다. 당신과 내가 매달려 있던 저 새로움의 빛들은, 생성되는 순간에, 경험되지 않은 또다른 생성을 위하여 제 실존의 자리를 내주고 소멸되는 것이어서, 일몰의 서해에서 당신과 나는 우리들이 지상에 건설한 사랑과 노동과 책과 밥과 술과 벗과 적과 꿈꾸기와 꿈 깨기에도 불구하고 결국은 아무것도 허용받지 못하고, 아무 존재에게도 건너갈 수 없으며, 아무것도 쥘 수 없고, 아무런 개념에도 기댈 수 없으리라는 것을 힘들이지 않고 숨결처럼 자연스럽게, 그러나 확실히 알게 된다.

우리가 친숙했던 언어들을, 당신과 나의 종으로 태어나 당신과 나의 상전으로까지 출세한 언어들을, 언어의 개념을, 개념의 구획을, 구획의 논리성을, 논리성의 폭력을, 폭력의 편안함을 말慄이라고도, 말이 아니라고도 말할 수 없을 때, 그 박모薄暮의 시간은 빛의 알맹이들을 거느리고 어두운 수평선 밑으로 빠진다.

인간과 무관한 빛의 알맹이들은 인간과 무관히 저무는 해와

한통속이 되어 대기와 구름과 개펄 위에 풀어지지만, 그것들의 생멸을 생성이라고도 소멸이라고도 또는 삶이라고도 죽음이라고도 말할 수 없고, 단지 어눌함의 마지막에서, 그것들을 '시간의 빛깔'이라고 말해볼 수야 있겠지만 그 빛들의 생멸은 시간의 끈 위에서 명멸하되 시간이 거기에 물들지 않는 것이어서, 일몰의 서해에서 당신과 나는 아무것도 개념화되지 않으리라는 두려움을 마침내 아늑함으로 혹은 번개같이 난데없는 쓸쓸함으로 받아들이면서, 거머쥘 수 없는 백수의 손바닥을 해풍에 내민다. 음악을 이루는 시간과 역사를 이루는 시간과 생애를 이루는 시간이 역시 그러하여서 이룸은 소멸의 다른 이름일 뿐, 이룸에 의하여 물들지 않은 시간은 이룸의 밑바닥을 빠져나가 서해로 가고, 밥과 꿈은 빌려온 시간의 셋방 속에서 혈거하지만 시간은 마침내 그것들을 싣지 않는다.

삶은 땅에 들러붙기를 열망하고, 착지된 삶은 들러붙은 땅의 괴로움을 떠나기를 열망한다. 정주定住의 습관이 시작된 이래 이 세계의 가죽 위에 돋아난 수많은 건축물들은, 그러므로 인간에게 집이란 무용한 것이라는 역설의 구조를 이 세계의 공간 속에 구축하고 있다. 땅 위에서의 정주를 열망하는 인간의 꿈은 배반과 모순에 가득 차 있다. 정주를 향한 그 꿈은 흔히 혁명의 꿈에 닿아 있지만, 땅 위에서의 혁명은 아무것도 개

혁하지 못하는 것이어서 정주의 오랜 세월이 습관적 귀소와 제도화된 부동, 인문화된 폭력과 폭력화된 인문 속에 침몰하여 마침내 풍속과 퇴폐가 동일한 것임을 일몰의 개펄 위에서 깨닫게 될 때, 저 완강한 것들의 집적을 일컬어 문명이라고 이름짓는 야만행위조차도 일몰의 개펄 위에서는 무력하다. 문명과 야만이 동시에 무력하고 개념의 구획이 풀어지는 저녁 개펄 위에서 자유는 부자유보다 더욱 난감했다.

저녁 개펄 위에 자유는 부자유보다 더욱 부자유스러웠고 버거웠고 차가웠다. 저무는 개펄은 마치 존재와 부재 사이의 비무장지대처럼, 저무는 시간 속에 가득히 펼쳐져 있고, 그리고 시간의 끝쪽으로 가라앉는다. 저무는 개펄은 그 위에다 아무것도 세울 수 없고, 아무도 그 위에 정주할 수 없는 불임의 공간이었고, 오직 인간과 무관하게 흐르는 시간만이 그 개펄 위의 허공을 지나 어두워지는 바다의 저쪽으로 몰려간다. 개펄은 물길에 의하여 이리저리 패여져 그 진물 흐르는 밑창을 파렴치하게도 드러내고 있었고, 그 부작위의 공간을 가득 들어선 나문재의 군생群生이 애달픈 분홍으로 타오르다가 어둠 속으로 잠긴다. 군생하는 나문재는 그 존재와 부재의 완충지대에서 가장 후지고 초라한 풀로 저무는 개펄을 가득 메우고 있다.

언어와 개념이 멸절된 자리에는 거기에서 죽을 수밖에 없으리라는 두려움과 신생하리라는 설레임이 공존하고 있을 것이지만, 저녁 개펄 위에서는 죽음도 신생도 모두 버거워 마음은 다만 한 포기의 나문재를 닮을 뿐이다.

저무는 해가 수평선 쪽으로 내려앉을수록 해 떨어질 자리의 바다는 뒤집힐 듯, 그러나 고요하게 작열한다. 해는 수평선 위의 소실점으로부터 바다와 개펄을 가로질러 연안에까지 와 닿는 빛의 다리를 세운다. 먼 섬들이 그 빛의 다리 속에서 연안과 연결되고, 작열하면서 소멸해가는 그 빛 속에서 섬은 캄캄한 한줄기 윤곽만으로 떠 있다. 빛의 다리는 수평선으로부터 연안 쪽으로 쏟아지는 것이어서, 연안에서 바라보는 자의 눈에 그 빛의 다리는 멀어질수록 빛나고 아득해질수록 확실하다. 멀어질수록 더욱 치열하게 타오르는 빛들은 그 주변의 물결 위로 수억만 개의 색의 무리들을 거느리고 출렁거리면서 저물어간다.

먼 곳으로부터의 타오름은, 타오름의 방향으로 끝까지 타올라, 보라의 바다에서 분홍의 바다로, 분홍의 바다에서 빨강의 바다로, 그리고 빨강의 절정에서 서서히 어둠 속으로 무너져내리면서 빨강에서 분홍으로 분홍에서 보라로 역진행했다. 색의 진행과 역행이 동시에 펼쳐짐에 따라 수평선과 연안을 잇는 빛의 다리는 결국 디딜 수 없는 다리였고 인간은 그 다리를 밟고서 아무 곳에도 갈 수 없었다. 해가 빠지고, 다리가 걷히고, 색의 들끓음에서 풀려난 바다와 개펄과 구름은 우중충한 회색의 어스름 속에서 또 한번의 밤을 기다렸다.

저무는 연안의 선착장에는 낡은 어선 한 척 묶여 있고 갑판 위에는 빈 소주병과 고추장 말라붙은 양재기 몇 개 뒹굴고 있다. 땅에 들러붙은 것들의 괴로움과 땅에 들러붙지 못한 것들의 괴로움은 결국은 같은 것이었던 모양이다. 저녁의 빛들은 정주하는 문명의 가장자리를 스치며, 개펄 위를 지나 바다로 나아갔다. 일몰의 서해에서는 시간의 빛깔과 공간의 빛깔이 구별되지 않았다. 말들의 구획이 무너지듯이 빛깔들은 서로를 향해 무너졌고, 건너갈 수 없는 빛의 다리가 와 닿는 선착장에는 누렁개 한 마리와 여자 한 명이 쪼그리고 앉아 저무는 바다를 바라보고 있었다. 엉덩이를 깔고 앉아 허리를 곧추세운 개의 뒷모습과 무릎을 세우고 쪼그리고 앉은 여자의 뒷모습은 형제처럼 닮아 보였다. 그것들은 바다 앞에서 쪼그리고 앉은 포유류들이었다.

억새 우거진 보살의 나라 _운주사

억새는 초겨울의 풀이다. 차가운 대기 속에서 그 풀은 흔들리면서 풍화한다. 바람에 흩어져 꽃씨를 퍼뜨리는 초겨울의 풀들은 가볍다. 풍화의 운명이 무겁고 쓰라릴수록 그 외양은 저토록 가벼워야 옳으리라. 바람 속으로 소멸하는 초겨울의 풀들은 벌과 나비를 부르는 여름의 꽃들처럼 화려하지도 향기롭지도 않다. 꽃은 식물의 성기性器다. 여름의 꽃들은 그 치매한 천진성으로, 세상을 향하여 저들의 향기로운 성기를 자지러지게 벌린다. 그 천진성이 버거워 여름의 꽃밭에서 나는 늘 몸 둘 곳 없어했다.

초겨울의 억새는 그 운명의 빛깔과 냄새만으로 땅 위의 구름처럼 들판에 피어난다. 억새의 삶은 풍화되어야 할 존재의 무게를 극소화시키는 팍팍한 삶이다. 가벼움을 완성하고, 가벼움 속에서 풍화되어 죽어야 하는 운명의 내면은 가볍지 않다. 그것들은 하필이면 묵어버린 논이나 밭의 가장자리, 경작할 수 없는 야산의 비탈처럼 버려진 자리만을 골라서 서식한다. 가을이 깊어지고, 습기가 빠져가는 땅이 메말라지면 그 척박한 자리에서 그것들의 삶은 한 해의 마지막 햇볕 아래서 바래어진다. 바래어지는 삶의 고통을 이끌고 그것들은 가벼움을 완성해낸다. 그것들의 목숨 안에서는 무게의 총화가 가벼움이고, 습기의 총화가 메마름이다. 초겨울의 마른 들에서 그것들은 헛것의 투명함과 헛것의 가벼움으로 바람에 흔들린다. 그것들은 빛나지 않는다. 그것들은 바람이 부는 쪽으로, 숙일 수 있는 머리를 끝까지 숙이지만 그것들의 뿌리는 바람에 불려가지 않는다. 그것들은 바람에 시달리면서, 바래고 사위면서, 그 시달림 속으로 풍화되면서, 생사生死의 먼지로 퍼지고 번진다. 그것들은 애초에 바람이었던 것처럼 바람의 숨결과 포개진다. 11월의 엷은 잔광 속에서 그것들은 잔부스럼 같은 꽃을 피운다. 억새의 꽃은 흩어져 멸렬하기 위하여 피어나는 꽃이다. 그 꽃들은 죽을 때 땅으로 떨어지지 않고 바람 속에 흩어진다. 추락하는 꽃들의 내면에는 영광과 치욕을 함께 소리지르는 아우성이 들끓고 있을 테지만, 산화하는 꽃들의 내면에는 생애의 무게가 잘 빠아진 마른 뼈의 가루들로 들어 있을 것 같다.

여름꽃들의 그 자지러지는 향기와 빛깔과 형태의 바탕은 여름의 물기다. 물기 없는 시간 속에서 피고 지는 초겨울의 억새는 흩어지는 가루들의 메마름 속에 생사의 씨앗을 갈무리한다. 억새의 꽃들은 영광이나 치욕을 외치는 향기와 빛깔을 갖지 않는다. 그 꽃들은 다만 시간을 통과해나가는 노동의 모습만을 갖는다. 억새의 꽃들은 이삭으로 돋아나서 꽃대의 위쪽에서 계통 없이 너덜거리는 봉두난발을 이루며 엉긴다. 꽃으로 태어난 그것들은 피어날 때부터 그 꽃 안에 산전수전의 늙음을 간직한다. 지난해 겨울에 죽은, 그리고 또 그 전해 겨울에 죽은 억새의 늙음이 새로 돋아나는 억새꽃 속으로 유전되고 있다. 그 꽃들은 피어나자마자 이삭으로 가는 길을 곧바로 걸어간다. 흔들리면서 시달리면서, 그것들은 정진精進하고 있다. 이윽고 꽃들은 마지막 남은 몇 개의 꽃털의 가벼움으로 이삭과 함께 바람에 합쳐서 불려간다. 11월의 들판에서, 꽃과 이삭이 모두 바람 속으로 불려간 억새는 마른 줄기만으로 흔들리고 있다. 그 줄기에는 꽃들이 살다 간 자취들이 어린애의 손금처럼 남아 있다. 억새의 뼈들은 이제 마른 흙으로 땅에 누울 것이다.

운주사로 가는 길은 인간의 동네와 보살의 동네 사이에 팻말이 없다. 추곡수매가 인상률에 핏발 선 눈독을 들이고 있는 인간의 동네에서는 빈 들판을 태우는 연기가 자욱한데, 그 마을길을 따라서 조금만 올라가면 보살의 동네가 나타난다. 그 두 동네 사이에는 경계나 팻말도 없고, 방향표시판도 없고 장승도 없다. 그 두 이웃 동네는 가파른 언덕도 건너야 할 도랑도 없어서 슬슬 걸어서 마실 가기에 좋은 길로 이어진다. 개 짖는 소리와 닭 우는 소리와 어린아이 칭얼거리는 소리가 두 동네에 잇닿아 있다. 운주사에서 집 없는 돌보살들은 바위 밑에 모여 혈거하거나 양지 쪽 언덕에 부부를 이루어 누워 있거나 억새 우거진 들판에서 풍찬노숙風餐露宿하고 있다. 그 보살들은 도시 빈민의 삶을 살아가고 있다.

미륵이 도솔천에 상생上生하면, 일곱 겹의 담으로 둘러싸인 보석궁전에서 오백억 가지의 광명이 흘러나오고 낱낱의 광명 속에는 다시 오백억 송이의 연꽃이 피어나고 한 연꽃마다 오백억 그루의 나무들이 생겨나 한 나뭇잎마다 오백억 가지의 빛을 발하고 한 빛마다 오백억 가지의 광명이 있을 것이라고 경전에 적혀 있지만, 억새 우거진 들판에서 풍찬노숙하는 저 미륵들은 도솔천에 상생한 미륵은 필시 아니었다.

미륵은 56억만 년 후에 이 염부제로 다시 하생下生해서 용화龍華 세상을 이루고, 그때 저 세상의 기후는 아주 알맞고 계절이 순조로워 백여덟 가지 질병이 없고 사람들은 만나면 즐

거워하고 사람들의 말은 착하고 고와지며, 대소변을 누면 땅이 저절로 열려 파묻히고 금은보화가 땅 위에 널려 있으나 아무도 주워가는 사람이 없고, 사람들이 그 금은보화를 놓고 말하기를 옛날에는 이것 때문에 서로 싸우고 죽이고 가두고 때리며 수없는 고생을 했다 하는데 지금은 아무도 주워가는 사람이 없다며 웃을 것이라는데, 바위 밑에서 혈거하는 그 헐벗은 미륵들은 염부제로 하생한 미륵도 아니었다. 염부제는 아직도 싸우고 죽이고 가두고 때린다. 그 미륵들은 상생한 미륵도 하생한 미륵도 아니었다. 그 미륵들은 인간의 마을과 가까운 산야의 억새풀 속에서 유마維摩의 병을 앓는 아픈 보살들이었다.

몸과 마음을 여의었으니, 보살에게 어찌 병이 있으랴. 보살은 병이 없다. 병 없는 보살이 아파서 앓는다. 보살은 위독하다. 보살은 산 위에서 쓰러져 앓고 있다. 보살의 병은 중생이 아프기 때문이다. 중생의 병은 생사生死 속에서의 사랑과 쏠림 때문이다. 생사를 여읜 보살은 아픈 중생을 따라 다시 생사로 든다. 보살은 인간의 마을 옆동네에서 함께 앓는다. 아픈 보살의 병은 빌려온 병이다. 병의 뿌리는 중생에게 있고 병의 증세는 보살에게 있다. 보살은 빌려온 병을 실제의 병으로 앓는다. 아픈 보살은 앓는 중생을 향하여 아픈 몸을 버리라고 말하지 않는다. 보살은 생사를 여의되 생사의 불 속을 정면으로 통과하고, 보살은 몸에 병이 없으되 세상의 병을 빌려다가 앓는다. 보살은 제 몸의 병 없음과 생사 없음을 드러내 보이지 않는다. 운주사의 와불臥佛은 지금 산 위에 쓰러져 있다.

　운주사로 가는 들녘에 억새는 구름처럼 피어 있었다. 바람이 빈 들의 허공을 스칠 때 억새들은 일제히 쓰러지고, 떠나가는 바람의 끄트머리에서 일제히 일어선다. 초겨울의 들판에서 그것들이 흔들리는 풍경은 창세기 이래로 죽어버린 모든 것들이 잘리어진 흰 손으로 땅 위에 돋아나 돌아올 수 없는 것들을 손짓해 부르는 것 같다. 억새는 남루의 끝을 향해 그 봉두난발을 풍화시키고, 바람에 불려간 억새의 풀씨는 인간의 마을과 보살의 마을 위를 떠돈다. 억새에 쓸리우는 들판의 탑들도 떠도는 풀씨 속에서 풍화되고 있었다.

　운주사에서 나는 누워버린 아픈 보살의 가슴 위에 흰 눈처럼 내려 쌓이는 억새의 풀씨들을 보았다. 풀씨들은 보살의 옷자락 고랑과 합장한 손등 위에 내려앉았다. 조악한 석질石質의 돌 위에 형상을 얻은 그 보살은 뚜렷한 모습을 보이지 못하고 다만 돌 속으로 희미하게 스며드는, 혹은 돌의 그 캄캄한 내면으로부터 밖으로 배어나오는 보살의 잠재태일 뿐이었다. 풀씨들은 아픈 보살의 가슴 위에서 또다시 바람에 쓸리었다. 돌에 뿌리를 박지 못하는 풀씨들은 아픈 보살의 가슴 위에서 결국 죽어야 할 것이고 보살의 병은 겨우내 더욱 깊어져야 하리라. 보살이 중생의 병을 빌려다가 앓는데, 아픈 중생이 어찌 저 병든 보살을 문병할 수 있으랴. 풀씨들은 문병되지 않는 아픈 보살의 가슴 위에 자꾸만 내려앉았다.

저 돌이 일어서서 마을로 걸어내려가면 용화세상이 된다고, 중생의 전설들은 말하고 있지만 아픈 보살은 산 위에서 머리를 낮은 곳으로 처박고 앓아누워 있다. 개 짖는 소리와 닭 우는 소리와 어린애 칭얼거리는 소리가 잇닿아 있는, 그렇게 가까운 인간의 마을은 아픈 보살의 산 밑에 있었고 저녁 무렵의 어스름 속에서 억새는 흔들리고 있었다.

깊은 곳에 대한 성찰 _ 울진 성류굴

깊고 축축한 곳, 움푹하고 어두운 곳들은 멀어져간 것들에
대한 추억을 간직하고 있다. 멀어지는 것들은 삶의 외곽으로
밀려나 사라지지 않고 마음의 밑바닥에 퇴적층으로 깔리게 마
련이다. 마음의 거죽은 이 세계를 가득 채우면서 흘러가는 빛
과 형태들에 부딪쳐서 수많은 물결들로 주름잡히지만, 그 물
결의 아래쪽으로 마음의 중세中世는 퇴적되어 있다. 아무것도
사라지지 않는 것이다.

한옥의 부엌 바닥에서 신석기 움집의 추억은 살아 있다. 사
람들이 움집에서 기어나와 지상에 수직 구조물을 세우기 시작
할 무렵의 추억들이 한옥의 깊숙한 부엌 바닥에서 추억이 아
니라 생활로서 살아 있다. 그 추억들은 살아서 가동되는 추억
들이다. 그리고 그것들은 인간의 안쪽에서 살고 있는 꿈과 동

경 들이 흙 속에 버무려지면서 빚어내는 감동적인 풍경을 이룬다. 부엌은 깊숙하고 컴컴하다. 거기에는 연료와 불과 물과 흙이 있다. 원소들은 거기에서 만나 서로 뒤섞인다. 인간은 그렇게 뒤섞이는 원소들의 혼합물을 자신의 꿈과 필요 속으로 끌어당긴다. 부엌은 그 끌어당김의 물리적 구조물이다. 그 구조물은 흙으로 빚어져 있고 필요한 최소한의 구조만으로 정돈되어 있다. 부엌에서 원소들이 뒤섞이면서 빚어내는 연금술의 결정체는 따스함과 밥이다. 온도와 먹이는 인간의 마음속 지층의 아주 깊은 바닥을 이룬다. 아궁이는 부엌의 엔진이다. 아궁이는 연료와 공기를 태워서 따스함과 밥을 빚어낸다. 그 엔진의 구조는 당연하게도 여성적이다. 따스함은 아궁이에서 발생해서 고래를 따라 구들로 들어가고 밥은 그 위에서 익는다. 따스함을 발생시키고 그것을 구들로 빨아들이는 그 구조의 여성성은 필연적이다. 모든 남성적 구조는 저러한 흡수와 갈무리의 기능에 대하여 치명적으로 무력하다. 그러므로 아궁이 앞에서 가랑이를 약간 벌리고 앉아 불을 지피는 한 여자의 모습은 언제나 문명사적인 일대 장관이 아닐 수 없다. 그리고 그 아궁이 앞의 여자에 대한 우리들의 성적 상상력은 전적으로 정당하고 아늑한 것이다. 따스함은 안방의 구들 위에서 삶의 바닥을 이루고 안방은 그 따스함 위에서 다시 집 전체의 삶의 엔진으로 군림한다. 안방은 아궁이의 여성성을 빨아들여 다시 집 전체의 아궁이가 되는 셈인데, 구들의 따스함과 마루의 서늘함이 맞닿은 안방 문지방은 다시 한 문명의 지층의 켜를 이루는 것이어서, 안방과 마루를 건너다닐 때 우리들 마음의 밑바닥에서는 부엌과 아궁이의 깊이와 온도와 먹이로 이루어지는 저 아래쪽 지층이 출렁거리게 마련이다. 그러므로 구들과 마루 사이에서 우리는 안방으로 '들어간다'고 말하고 마루로 '나온다'고 말하는 것이지 그 반대로 말할 수는 없다. 아궁이로서의 안방의 생산력은 다시 사랑채의 정치적 웅성雄性과 연결되면서 또다시 한 켜의 지층이 형성된다. 마음속 지층들은 그 경계를 서로 삼투시키고 있는데, 지층의 경계들이 서로 삼투되는 오랫동안을 나는 마음의 문화사文化史라고 말하고 싶다. 그리고 그 문화사를 거꾸로 헤집고 올라가면 우리는 저 깊고 축축한 곳, 움푹하고 어두운 곳의 온도와 습도, 여성적 구조물이 갖는 저 탈논리성의 따스함에 도달할 수 있다. 신석기의 움집을 떠날 때, 인간이 거기에 남겨둔 것들은 아직도 그리고 영원히, 흔적이 아니라 살아서 가동하는 마음의 지층으로 남아 있는 것이다. 마루는 자존심 높은 문화의 공간이다. 그곳은 떠 있는 공간이고 아궁이나 부엌으로 연결되지 않는다. 그곳은 땅에 닿아 있지도 않다. 그곳은 지표로부터 아주 합당한 여백을 두고 떨어져 있다. 마루와 땅 사이의 공간은 서늘하고 통풍이 잘되는 공간이다. 인간은 그 공간을 깔고 살 뿐, 그 밑으로 드나들지는 않는다. 겁 많은 시골 개들이 짖으면서 도망갈 때 그 안으로 숨는다. 삶은 깊고 움푹한 곳에 연결되면서도 그와 동시에 그곳과 떨어진 서늘함 쪽으로 연결된다.

　부엌이나 신석기의 움집이나 마루 밑보다 더 깊은 곳은 자연동굴이다. 우리는 부엌과 아궁이의 깊이를 추적하는 시선으로는 자연동굴의 내부를 답사할 수 없다. 깊고 움푹한 곳을 찾아가는 우리들의 마음이 부엌 바닥을 더 깊게 파헤친들 우리는 거기서 아무런 인간다운 언어의 파편조차도 찾아낼 수 없을 것이다. 인간이 제 모습과 제 냄새를 편안하게 확인할 수 있는 깊은 곳은 아마도 부엌 바닥에서 끝나는 것 같다. 그보다 더 깊은 곳에서 말하자면 자연동굴 속에서 우리는 설명하기 어려운 무의식 또는 순결해서 무의미한 시간과 공간의 집적들과 만난다. 인간의 시선이 닿지 않는 그 캄캄한 땅 밑 암흑 속으로 인간을 통과하지 않는 수억 년의 시간이 흘러서 시즙屍汁처럼 배어나온 풍경은 언어의 바깥 쪽으로 펼쳐진 풍경이었다. 나는 거기에다 대고 어떻게 말을 걸어야 할지 알 수는 없었다. 나는 부엌 바닥의 깊이를 말로 얽어매듯이 동굴의 풍경을 말로 얽어맬 수는 없었다. 부엌의 깊이와 부엌의 바닥은 그 위에 세워지는 한 문명을 떠받치고 그 문명의 안쪽으로 온도를 불어넣어주지만, 자연동굴의 바닥은 그 위에 범접할 수 없는 시간의 퇴적층을 쌓아놓고 있었다. 자연동굴의 안쪽에는 인간의 지상의 언어로는 폭포 기둥 궁전 광장 바다 호수 물결 무지개 불탑 산호림이라고나 할 만한 풍경들이 시간 위에 각인되어 있었지만, 그 거대하고 정교한 풍경들은 수억 년의 암흑 속에 매몰되어 있다. 부엌 바닥에서 인간의 온기와 언어가 끝나고, 그보다 더 깊은 존재의 심층부에 저런 거대하고 괴기스럽고 굴곡과 음모에 가득 찬 허방이 어둠 속에서 자라나고 있는 것일까. 땅 밑의 세계에서, 부엌과 안방을 한 줄의 고래로 연결시켜 그 연결 위에서 부엌을 부엌이게 하고 안방을 안방이게 하는 통로를 나는 찾을 수 없었다. 그 세계를 지배하는 것은 필연과 우연, 질서와 혼돈이었다. 거기에서는 필연은 우연한 것이었고 질서의 총화가 혼돈을 이루는 것이어서, 우연은 필연의 모습을 하고 있으며 혼돈이 질서의 탈을 쓰고 있다. 말하자면 언어는 거꾸러지는 것이다. 종유석의 끝에서 한참 만에 떨어지는 한 방울의 물이 수억 년을 떨어져내려서 그 착지점에 석순을 돋아나게 한다. 떨어지는 물방울에 매개되어 종유석과 석순은 마주 보며 자라고 자라서 만난다. 종유석 끝에서 떨어지는 물방울은 투명한 모래시계의 허리를 흘러내리는 시간의 입자들처럼, 방향성을 상실한 기계론적인 시간들이다. 그 시간들이 흘러가는 곳을 나는 알 수 없다. 나만 모르는 것이 아니라 뉴턴도 모른다. 알 수 없는 목적지로 흘러가는 것이 한 방울씩의 물이 되어 종유석 끝에서 떨어진다. 그것이 중력의 법칙이다. 그러나 자연동굴 속에서 종유석이 지나간 시간이라고도, 돋아날 석순이 닥쳐올 시간이라고도 나는 말할 수 없었다. 인간인 나의 마음은 그런 기계적인 미래의 시간을 더듬어낼 수 없었다. 사우나탕 속에서 모래시계를 뒤집어놓았더니 흘러간 시간의 입자들이 거꾸로 쏟아져내렸다. 자연동굴 속에서 물방울은 중력의 법칙을 거꾸로 뒤집지 못한다. 뒤집어본들 결과는 똑같다. 종유석과 석순 사이에서 무한한 과거의 시간과 무한한 미래의 시간은 서로가 서로를 향해 굴러가서 함몰하였고 그 거대한 혼돈은 가장 엄격한 질서의 외양을 갖추고 있었다. 물방울은 기하학적 엄정성으로 떨어져내리고 물방울이 떨어져내린 자리에서 석순은 정확하게 돋아난다. 저 겹나는 필연성 자체가 또다시 하나의 거대한 우연은 아닐까. 자연동굴은 그런 대답하기 어려운 질문을 수억 년 동안 질문인 상태로 방치해놓고 있다. 부엌 바닥보다 더 깊은 곳에 그리고 인간의 마음의 맨 아래 지층보다 더 깊은 아래쪽에서 얼마나 무서운 형태와 색깔들이 빚어지는 것인가. 그리고 그것들은 수억 년의 암흑 속에 가려져 보이지 않고 그 보이지 않는 곳에서 시간들은 함몰한다. 깊고 움푹한 곳으로 가보고 싶은 언어의 행복은 부엌 바닥에까지만이다. 그러나 제 발 밑을, 제 존재의 심연을 보지 못하는 자가 '말'을 하며 살다니!

　동굴에서 나와서 나는 동굴관리사무소가 발행한 안내책자를 샀다. 그 책은 내 생각을 삽시간에 동굴 밖으로 끌어내주었다. 그 책자는 동굴 속에서 서식하는 생물들을 소개하고 있었다. 그 생물은 동굴거미, 노래기 같은 진화의 대열에서 낙오된 벌레였다. 아, 그 캄캄한 곳에서도 태어나고 교접하고 번식하고 숨쉬다가 죽는 것들은 있었다. 나는 그 버러지들의 편이었다. 내 집 부엌 바닥은 깊고 우묵하다. 그보다 더 깊은 곳에는 질서의 탈을 뒤집어쓴 혼돈과, 형태를 갖추며 사물화되는 허무가 고여 있을 것이다. 나는 그 무서움과 싸우기 위하여 산 것에 비벼가며 산 것에게로 가까이 가겠다.

무늬들의 풍경 _ 신경숙의 문체

신경숙의 글 속에 나오는 사물, 시간, 어휘 들은 그것들을
바라보거나 받아들이는 자의 마음속에서 없었던 의미를 부여
받는다. 신경숙의 언어는 사물이나 삶과 상징적 대칭의 위치
에 있지 않다. 그 언어들은 인간과 사물, 인간과 삶 사이의 삼
투관계 위에 존재하면서, 그것들이 서로 겹치면서 빚어지는
무늬의 어른거리는 움직임을 따라간다. 그 글들은 삶을 규정
하거나 설명하거나 정의하지 않는다. 그 글들은 잠언이나 참
언을 빚어내려는 언어의 근본적 허영심으로부터 아주 멀리 떨
어져 있다. 글이 저 자신의 궤적을 남기려는, 덜떨어진 글의
욕망을 신경숙의 글은 신통히도 감추고 있다.

내가 최근에 읽은 신경숙의 글은 「풍금이 있던 자리」와 「배
드민턴 치는 여자」이다. 이 글들은 '소설'로 발표되었다. 이 두

편의 글 속에서 신경숙이 말하려는 것은, 아마도, 사랑의 불가능이다. 명백히 존재하는 그것을 인간의 삶 속에 수용하는 것이 명백히 불가능하다! 아마도 신경숙은 그런 말을 하려 했던 것 같다. 그러나 신경숙이 글 속에서 드러내 보이는 것은 그 불가능에 대한 절규가 아니라, 불가능의 무늬이다. 그 두 편의 글이 자아내고 있는 무늬는 매우 다르다. 거칠게 말하자면 「풍금이 있던 자리」는 음각된 겹무늬이고, 「배드민턴 치는 여자」는 양각된 홑무늬이다. 신경숙의 문체는 그 무늬들의 고정, 흔들림, 변화, 겹침, 겹치면서 어긋남에 섬세하게 대응하고 있다.

그렇게 그 여자는 파란 페인트 칠이 벗겨진 대문을 통해 우리 집으로 들어왔고, 그 대신 그 대문으로 어머니께서 자취를 감췄습니다.

_「풍금이 있던 자리」

그런데 그 여자는 그 향내를 다시 풍기면서 그 파란 페인트 칠 대문을 빠져나갔습니다. 저는 그 여자가 처음 우리집 대문을 열고 들어왔을 때 앉아 있었던 그 마루에 앉아서 집을 나가는 그 여자를 바라봤어요. 역시 환한 햇살 속에서요.

_「풍금이 있던 자리」

라고 신경숙이 썼을 때, 들어오다, 감추다, 나가다의 동사는 주어를 규정하는 힘이 거의 없거나 그저 사소한 힘밖에는 행사하지 않는다. 인용한 대목들은 아버지의 첩이 집 안으로 들어오자 어머니가 자취를 감추고, 어머니가 다시 집으로 돌아오자 첩이 집을 나가는 장면을 기술한 두어 줄의 문장이다. 인생의 질펀거리는 치정 비극을 향하여 신경숙은 이처럼 숨결 낮고 사소한 것들로 가득 찬 두어 줄의 문장만을 겨우 허락한다. 인용한 문장 안에서 어머니의 들어옴과 첩의 나감, 첩의 들어옴과 어머니의 나감 사이에는 도덕적 우열의 관계란 전혀 존재하지 않는다. '들어오다'라는 동사와 '자취를 감추다'라는 동사는 그저 인간의 발걸음이 이쪽으로 오기도 하고 저쪽으로 가기도 하는, 그 덧없는 방향성의 무의미함만을 지칭할 뿐, 그 반대되는 두 개의 방향성을 지칭하는 동사 두 개가 결국은 동의어일 뿐이다. 그 동의어이기도 하고 반대어이기도 한 두 개의 동사 사이에 '어머니'와 '그 여자'라는 두 개의 개별적 주어가 끼어 있다. 이 주어들은 사전 속의 모든 동사들이 행사하는 저 거대한 의미론적 힘의 지원을 전혀 받지 못하는 주어들이다. 이 주어들은 자신이 거느린 순서인 '들어오다'와 '자취를 감추다'로부터조차 소외되어 있다. 첩이 집으로 들어오자 어머니가 가출하는 이중의 치정극은 다만 '들어왔고,'의 '고,'로 연결되어 있을 뿐이다. 이 '고,'는 두 개의 사실적 정황을 한 줄의 문장으로 얽는 연결고리들 중에서 가장 사소하고도 허약한 '고,'이다. '고,'는 문장 안에서 논리적 연결력을 행사하지도 않고 인과관계의 엄밀성을 강조하지도 않는다. 이 '고,'는 '고,'에 선행하는 사실적 정황과 그에 뒤따르는 사실적 정황 사이에서 가장 무력하고 가장 무책임한 '고,'이며 두 개의 주어(어머니와 첩)들 중에 그 어느 쪽도 속박하지 않는 '고,'인 셈이다. '고,'의 이 개방성, 이 거의 파렴치에 가까운 무규정성에 의하여 '고,'의 앞뒤에 걸린 '들어오다'와 '자취를 감추다'라는 동사는 그 동사가 인간의 치정극 속에서 수만 년간 누려오던, 질 펀거리는 의미론적 폭력을 삽시간에 상실하고 가장 순결하고 사소한 언어의 원형으로 돌아온다. 그렇게 해서 술어의 의미론적 힘으로부터조차 아무런 지원도 받지 못하는 주어들의 슬픔만이 발라진 생선의 잔가시처럼 문장의 거죽 위에 가지런히 떠오르게 되는 것인데, 문장 속에서 그 슬픔이 몸 비빌 언어의 언덕이란 '어머니께서'의 존칭주격 '께서'라는 두 개의 활자일 뿐이다. 그 동사들은 주어의 운명의 내면으로부터 빚어진 동사임에는 틀림없지만, 동사들은 다만 그 운명의 외양만을 드러내 보일 뿐, 더이상 주어의 운명에 간여하지 않는다. 동사들은 동사의 능동성과 규정성을 버리고 형용사의 세계로 스며들기 시작하는데, 대체로 신경숙의 글의 무늬는 이 용언들이 갖는 언어로서의 삶의 영역이 서로 겹쳐지면서 발생하고 있는 것이 아닌가 싶다. 동사가 주어와의 의미론적 관계를 스스로 헐겁게 풀어헤칠 때, 그 동사는 아주 사소한 규정력밖에 행사할 수 없지만, 신경숙의 문장 속에서 그렇게 스스로 사소해진 동사가 그려내는 언어의 무늬는 단정하고도 간절한 울림을 울린다. 신경숙의 문장 속에서, 주어와의 관계를 스스로 사소한 것으로 만드는 이 선량한 동사들은 자신의 언어로서의 삶을 형용사 쪽으로 바꾸어가면서, 그 전이의 과정을 통해, 주어의 내면을 드러내 보이기보다는 하나의 부사적 정황을 문장의 표면으로 띄워올리고 그 부사적 정황을 무늬의 중심부로 삼는다. 삶이라는 더 큰 무늬는 이 부사적 정황의 주변에서 이중 삼중으로 겹쳐지면서 어른거리는 겹무늬를 이룬다. 인용한 문장 속에서 동사들이 스스로 사소해지면서, 그렇게 사소해져가는 소실점의 반대편으로 밀어올려놓는 부사적 정황은 '대문'이다. 첩이 대문으로 들어오면 어머니는 대문으로 나가고 첩이 대문으로 나가면 어머니는 대문으로 들어온다. '나'는 마루의 환한 햇빛 속에 앉아서 대문을 통해서 들고 나는 그 두 여자의 운명을 바라보고 있다. '대문으로'라는 부사적 정황이 무늬의 중심부를 차지하고 있는 한, 그 대문을 통해서 집 안으

로 들어오는 운명과 집 밖으로 나가야 하는 운명의 풍경은, 그
들고 남의 방향성이 정반대이되, 그 내면의 본질은 동일한 것
일 수밖에 없다. 들고 남의 운명의 이 완벽한 동일함, 그 등가
等價의 무게와 동질의 질감이, 그러나 정반대의 빛깔을 띠고,
무늬의 중심을 차지한 부사적 정황의 주변에서 서로 비기면서
서로를 긴장시키고 있다. 등가이며 동질인 두 개의 운명은 상
대방을 긍정도 부정도 하지 않는다. 그 운명들은 단지 '고,'로
연결됨으로써 서로의 다른 빛깔을 응시할 뿐이다. 그것들은
서로의 사소함으로 상대의 사소함을 받쳐주면서, 비극을 풍경
화시킨다. 부사적 정황이 무늬의 중심부에 자리잡을 때 비극
은 한恨으로 사무치지 않고 다만 풍경으로 바뀔 뿐이다. 「풍금
이 있던 자리」 속의 여자는 이 풍경의 진정성 위에 삶을 세우
려는 여자이다. 그 풍경 속에 풍금은 존재하지 않는다. 아니
다. 풍금은 풍경의 배후에서 이 무늬 전체에 대해 들리지 않는
음향효과를 제공하고 있다. 이 무늬 전체를 밀어올리는 존재
의 거점은 문장 속에서 일인칭 화자가 처한 공간, 즉 '마루'이
다. 그 거점은 또하나의 부사적 정황이다. 그 여자는 마루에
앉아서 대문을 바라본다. '마루'는 그 여자의 생애가 통과해
나가는 수많은 덧없는 공간들 중의 하나이다. 그 여자는 이 덧
없는 공간에 앉아서 대문 쪽을 바라보고 있고, 그 대문으로 인

간의 운명은 그렇게 드나들고 있다. 그리고 그 무늬 전체는 그 여자가 거점을 옮기는 순간 스러질 것이다.

방 안에 제가 누워 있는 동안 봄 농삿일은 이미 시작돼서, 들판엔 수건을 쓴 여인들이 묘판에 볍씨를 뿌리고 있었어요. 갓 돋아났던 파란 쑥들은 너무 웃자라 쇠어 있었고, 팔레트 속의 물감들 같던 꽃들도 그사이 덧없이 지고, 어느새 푸른 잎새들이 그 꽃자리를 차지하고 있더군요.

_「풍금이 있던 자리」

그 새끼 까치들이 날갯짓을 할 무렵이면 이곳도, 여기 이 고장에도 초여름, 여름……이겠지요. 저기 저 순한 연두색들이 짙어, 짙어져서는 초록이, 진초록이…… 될 테지요. 그때쯤이면 은선이라는 당신 아이 이름도 제 가슴에서 아련해질런지요, 안녕.

_「풍금이 있던 자리」

시간의 흐름을 따라가면서, 신경숙의 문장은 기진맥진한다. 그 문장들은 진땀을 흘리며 주저앉을 듯이 위태롭다. 문장은 시간의 하중을 버티어내지 못하고 시간 앞에서 두 손으로 빌듯이 쩔쩔매면서, 문장 자신의 숨을 곳을 찾고 있다. 그 문장들은 시간의 본질을 담아내지 않는다. '시간의 본질'이라고 쓰고 나니, 말이 너무 커서 무참하다. 인간이 무슨 수로 '시간의 본질'을 따라갈 수 있으랴. 시간이 '흐른다'라고 쓸 때, 그 '흐른다'라는 동사의 이 무내용함. 그 무내용함의 절대성. 신경숙의 문장은 '흐르는' 시간의 발길을 따라잡지 못해, 시간이 흘러가버린 변방에 주저앉아 있다. 시간은 문장으로부터 아주 먼 곳을 흘러가고 있다. 문장은 다만, 아득히 먼 곳을 흘러가는 시간이 남기고 가는 희미한 파편들만을 겨우겨우 챙겨나간다. 그 파편들이, 팔레트, 푸른 잎새, 꽃자리, 연두 진초록, 까치의 날갯짓 같은 선명하고도 발랄한 사소함들과 더불어 나타날 때, 시간의 흐름으로부터 멀리 비켜서 있는 그 문장 속의 선명함들이란, 선명함이 아니라 오히려 희미함에 가깝다. ……있었어요, ……있더군요, ……이겠지요, ……질런지요 같은 종결어미를, 아득히 먼 곳을 흘러가는 시간을 향하여 발송할 때, 그 종결어미들은 시간의 표정에 닿지 못하고, 그 시간이 흘러가버린 빈들에 추락하고 마는데, 그렇게 추락해버리는 종결어미들은 시간의 본질에 간여하는 것이 아니라, 거기에 간여할 수 없는 인간의 본질에 간여한다. 그 종결어미들은 허약하고 사소한 어휘들이고, 사정거리가 짧아 표적에 닿기 전에 무너져내리는 어휘들이고 관통력이나 명중률이 매우 낮은 어휘들이다. 사유의 조준선 위에서 그 어휘들은 표적을 향하여 조준되지 않는다. 그러나 그 어휘들은 인간의 소유임이 확실한 어휘들이다. 그 종결어미들이 겨우겨우 수습해내는 시간의 풍경은 발랄하지만 접근할 수 없는 풍경들이다. 파란 쑥과 팔레트 속의 물감들 같던 꽃들과 새끼 까치들의 날갯짓과 봄날의 그 순한 연두색들이, 그것을 향하여 ……있었어요, ……이겠지요, ……질런지요 같은 종결어미를 발송할 수밖에 없는 인간과 도대체 무슨 사소한 인연이라도 있을 것인가. ……있었어요, ……이겠지요, ……질런지요의 종결어미가 거느리는 그 여리고 순한 자장磁場 안에서, 저 인연 없는 것들의 선명한 개화와 덧없는 멸망들은 개화가 되었건 멸망이 되었건 모두 다 희미할 뿐이다. 그것들은 그저 저희들끼리 피고 지는 것들이고 인간은 그 피고 짐의 밖에 있다. …… 질런지요는 그 '밖'의 언어인 것이다.

인간과 무관하게 흘러가는 시간의 피고 짐이 까치의 날갯짓을 키우고 꽃을 피게 하고 잎의 색깔을 바꾸게 하지만, ……있었어요, ……질런지요라고 주절거리는 인간은 거기에 간여하는 게 아니라 그 풍경의 무늬만을 각인받는 것이다. 그 각인은, 인용한 문장의 맨 끄트머리인,

그때쯤이면 은선이라는 당신 아이 이름도 제 가슴에서 아련해질런지요, 안녕.

으로 남아 있다. 신경숙의 글에 따르면 은선이는 주인공 여자가 불륜의 사랑으로 사랑하는 어떤 유부남의 어린 딸이다. 그리고 다시 신경숙의 글에 의하면 은선이는 '나물 같은' 이름이다. 아마도 은선이가 연상시키는 나물은 곰취나 냉이가 아니라 고사리나 숙주일 터이다. 초성이 ㅇ로 시작되는 글자에 ㄴ받침이 그 하변을 둥글게 오므리고 있는 '은'과 그 글자를 다시 'ㅓ'모음으로 받아내면서 다시 ㄴ으로 하변을 오므리는 '선'이라는 글자가 나란히 붙어서 인간의 이름을 만들어내면, 그 느낌은 '나물' 같은 느낌이 될 성도 싶다. 그러나 '은선'과 '나물' 사이의 연상작용은 전혀 무의미한 것이다. 무의미한 것은 인간에게 무가치한 것인가. 아마 그러지는 않을 것이다. 의미론적으로 제로인 정황에 대한 신경숙의 사랑은,

어머니의 도마질 소리는 깍둑깍둑깍둑…… 경쾌했지만, 그 여자의 도마질 소리는 깍……둑……깍……둑이었어요.

같은 문장 속에서 매우 빠르게 흘러가는 속도 위에 실려 있다. '그 여자'는 아버지의 첩이며, 어머니의 시앗이다. 어머니와 어머니의 시앗을 '깍둑깍둑깍둑'과 '깍……둑……깍……둑'의 차이에 의하여 구별하려는 언어행위는, 사실상 구별이라는 인식기능에 도달하려는 행위는 아닐 것이다. 그 문장은 어머니와 어머니의 적을 구분하지 않는다. '……경쾌했지만,'의 '만,'에 연결되어 있는 어머니와 어머니의 적은 서로 길항하면서 비기는 것인데, 그 비기는 풍경 속에서, 동일한 운명의 두 인간이 서로의 운명에 개입할 수 없고 다만 깍두기 써는 소리의 차이, 그 무의미한 차이, 그러나 그 절박한 차이만을 운명의 외곽으로 퍼뜨리고 있다.

신경숙의 글 「풍금이 있던 자리」는 이중으로 겹치는 불륜의 무늬로 짜여져 있다. 아버지와 아버지의 첩 사이의 불륜 그리고 딸과 유부남 사이의 불륜이다. 그 불륜들의 무게는 글의 표면에 드러나 있지 않다. 글의 표면에는 단지 '……고,'나 '……만,'처럼 매우 구속력이 허약한 연결의 장치만이 드러나 있다. 그 허약한 연결의 장치에 의하여, 딸은 아버지의 새 여자를 긍정할 수 있게 된다. 신경숙의 글은 글이 말하려는 내용이 글의 외양과 신통히도 닮아 있다. 그렇게 해서 신경숙이 말하려는 것은, 그 글이 제사題辭로 삼아 글 앞에 인용한 동물의 이야기처럼, 조류와 파충류 사이의 사랑이다. 그것을 사랑이 아니라고 말해도 무방하다. 그것은 인간과 인간이, 말하자면 의사소통이 불가능한 조류의 한 존재와 파충류의 한 존재가 서로가 서로에게 심어놓는 운명의 무늬일 것이다. 신경숙의 글은, 그렇게 해서 인간이 다가갈 수 없었던 영역을 아주 조금, 그러나 정확하게 넓혀준 셈이다.

「배드민턴 치는 여자」는 존재의 무너짐에 관한 글로 읽혀진 다. 말하자면, 「풍금이 있던 자리」에서 보여주는 조류와 파충 류의 그 소통 불가능한 사랑의 몸짓을 인간이 단념하고 한 존 재자가 다른 존재자에게로, 조류가 파충류에게로, 파충류가 조류의 내면으로 들어가려는 진입을 시도할 때 그 존재는 삽 시간에 무너져버린다. 「배드민턴 치는 여자」는 그 무너짐의 무늬를 다시 챙기고 있다. 「풍금이 있던 자리」의 무늬만으로 는 사랑을 건설할 수 없다. 그 무늬는 사랑이 아니라 사랑의 불가능이다. 사랑의 불가능의 몸짓도 사랑은 사랑이다. 그러 나 그것은 불가능에 대한 사랑일 뿐이다. 그래서 신경숙은 가 능에 대한 사랑으로 나아가려 한다. 모든 가능성은 벽으로 둘 러싸인 그 안쪽에 있다. 새의 새됨, 뱀의 뱀됨, 그 '됨'이 그 벽 이다. 「배드민턴 치는 여자」의 여자가 그 벽 앞에서 무너질 때, 신경숙의 두 편의 글은 내 마음속에서, 그 두 편이 합쳐지면서 또다른 무늬를 이룬다. 「배드민턴 치는 여자」에 관해서 좀더 잘 말해보고 싶었는데, 이제 힘이 없다.

헬리콥터와 정현종 생각 _ 날기와 기기

이 글은 정현종의 시집 『사랑할 시간이 많지 않다』에 대한 한 독자의 독후감이다. 나는 언제나 나의 사랑에 대하여 중언부언하고 싶지 않았다. 나는 그 사랑이 기쁨이거나 또는 아픔이거나, 말과 무관하게 나의 마음속에서 살아 있어주기를 바랐다. 나는 차라리 나의 증오에 대하여 중언부언하고 싶었다. 나의 증오가 중언부언으로 과학의 허울을 쓰고 이 세상으로 뻗어나가기를. 그러나 나는 증오에 대하여 입다물고 사랑에 대하여 중언부언하는 삶을 살아왔다. 나의 생애에는 사랑을 발설한 죄와 증오에 입다문 죄가 겹쳐 있다.

나는 이 글을 쓰면서 70년대 또는 80년대를 한 무명無名이며 무명無明이며 무명無命인 신문기자의 탈을 쓰고 통과해나가면서, 슬프고 참혹한 저녁들에, 때때로 정현종의 시집 『고통의 축제』나 그의 산문집 『날자 우울한 영혼이여』를 펴서 몇 페이지씩 읽곤 했던 기억들을 떠올렸다. 지금, 웬일인지 그 무렵이 아득한 옛날처럼 회상된다. 이 회상은 아마도 무책임한 것이리라. 모든 '지금'이 모든 '그 무렵'의 연장이거나 변형일 터이며, 현실적인 '지금'이 현실적인 '그 무렵' 위에서 현실적으로 전개되고 있는 터에 지금 그 무렵을 '회상'한다는 것은 얼빠진 수작임에 틀림없다. 아마도 그 무렵, 사물 따로 몽상 따로가 아니라, 사물과 꿈이 하나다라고 말하는 정현종의 책들은, 속수무책으로 나빠져가는 세상 속에서의 나의 작은 사랑들을 조금씩 버티어주었으며, 사물과 꿈이 하나라는 또 하나의 꿈 때문에 나는 세상과 또다시 격절되는 것이 아닌가 하는 불안에 사로잡히기도 했었다. 나의 사랑은 그 불안까지를 포함해야 옳을 것이다. 세상의 악과 사물의 견고함이 속수무책인 것이라면, 사랑 역시 속수무책일 것이다. 그러나 세상의 악이나 사물의 견고함이 속수무책인 것은 아니리라. 그것이 속수무책인 것이라면, 그래도 죽기는 싫은 우리들은 모두 필로폰이나 집어먹어야 싸리라. 사랑만이 속수무책이다. 나는 속수무책인 사랑 또는 꿈에 의하여 속수무책일 리 없는 사물의 견고함이 풀어져서 느슨해지기를, 모든 사물들이 그 사물됨의 사물성을 내세워 너무 잘난 척하지 말아주기를, 속수무책으로 바라고 있다. 이러한 바람이 무책임한 것이라고 삿대질할 당신들의 모습이 보인다. 나는 정현종의 이 시집과 더불어, 헐거워진 세상 속으로, 숨쉬는 사물 속으로 들어갈 수 있게 되기를 바란다. 세상과 사물의 가랑이를 벌려보자.

『사랑할 시간이 많지 않다』 속에 모여 있는 시들은 정현종의 그전 시보다 알기 쉽고 친근한 시들이라고 할 수 있다. 정현종의 이 시집은 독자들을 훨씬 편안하게 해준다. 그의 이 시집이 이전의 시집보다 친근하게 느껴지는 것은 서로 낯설어 보이는 이미지들을 충격적으로 충돌시키는 시행들이나 비집고 들어가기 어려운, 까다로운 말들이 줄어들었기 때문일 것이다. 정현종의 마음은 사물을 직접 조준하고 있고, 거기에 구멍을 뚫어 그 구멍을 통해 사물 속을 드나들거나, 사물의 사물성을 제거하거나 완화시켜 사물을 그 사물됨으로부터 해방시켜준다. 그 풀려난 자리가 사물의 제자리이다. '가벼움'은 그의 이 시집이 보여주는 정신과 어법의 한 특징적 모습이라고 할 수 있다. 그는 제정신과 언어 위에 실려 있는 세상의 하중을 과시하지 않는다. 그의 가벼움은 세상의 무게를 버티어내고, 세상의 무게를 끌고 가는 가벼움이다. 그는 무거운 것들을 가볍게 끌고 간다. 그리고 그는 그 끌고 감 자체를 가볍게 만들어버린다.

적절한 연상은 아닐 테지만, 얼마 전 시골 벌판을 지나다가 군대의 이동하는 모습을 보았는데, 작은 헬리콥터 한 대가 커다란 탱크를 밧줄로 매달아 늘어뜨리고 높이 떠서 산을 넘고 강을 건너 그림처럼 날아가는 것을 보았다. 정현종의 이 시집을 읽다가 나는 그 헬리콥터를 생각해내고 문득 좋아서 웃었다. 단지 바람개비 한 개를 빈 허공 속에 내놓고 돌릴 뿐인 저 헬리콥터가 집채 같은 쇳덩어리를 달고서 날아갈 수 있다니! 헬리콥터가 떠서 날아가는 것은 과학일 테지만, 과학이 빚어내는 풍경이 저토록 비과학적일 수가 있을까. 헬리콥터를 띄우고 날리는 바람개비는 너무 빨리 돌아가서 사람들의 눈에 보이지 않았다. 다만, 먼 허공 속에서 그 바람개비의 빠른 회전이 빚어내는 달무리 같은 뿌연 원 한 개가 헬리콥터 위에 후광처럼 또는 뜬구름처럼 떠서 헬리콥터를 따라서 멀리 사라져가고 있었다. 헬리콥터에 매달려 날아가는 저 쇳덩어리는 과연 육전의 왕자라는 탱크인가. 공중에 떠서 날아가던 그 탱크는 가랑잎처럼 가벼워 보였다. 그것은 죽으나 사나 쇳덩어리인 탱크일 테지만, 캐터필러와 함께 땅을 기는 운명으로 빚어져서 하늘을 나는 호사를 누리고 있는 동안의 그 탱크를 우리가 온전히 탱크라고 불러줄 수 있을까. 가벼워서 보이지 않는,

그러나 허공 속에서 맹렬한 그 바람개비는, 그 밑에 탱크임을 포기한 채 무력하게도 매달려 있는 집채 같은 쇳덩어리를 물고 아예 세상의 금 밖으로 사라져버리는 것 같았다. 기어가야 하는 것들의 착지의 고통에 비할진대, 날아가는 것들의 가벼움이 잘난 것은 아니리라. 그러나 세상의 무게를 매달고, 그 무게와 함께 날아오르는 것은 확실하게 아름답다. 나는 정현종의 이 시집에서 그같은 아름다움을 알았다. 그의 날아오름은 높은 비행고도를 갖지는 않는다. 그는 사물을 스칠 듯 날아가거나, 사물과 세상을 조금 밀쳐버리고 그 사이를 난다. 그가날 때, 밀쳐진 사물과 세상은 그 전의 사물이나 세상과는 다른 사물과 세상이 되어 그의 날아감 위에 실린다.

비 맞고 서 있는 나무들처럼
어디
안길 수 있을까
비는 어디 있고
나무는 어디 있을까
그들이 만드는 품은 또
어디 있을까

_「품」 전문

어디 우산 놓고 오듯
어디 나를 놓고 오지도 못하고
이 고생이구나

나를 떠나면
두루 하늘이고
사랑이고
자유인 것을

「어디 우산 놓고 오듯」 전문

잠과 각성 사이의 표정처럼
무서운 건 없다
그 모습처럼
참담한 건 없다
모든 '사이'는 무섭다
모든 '사이'는 참담하다

「모든 '사이'는 무섭다」 전문

시 세 편을 옮겨 적었다. 정현종은 아직 날고 있지 않다. 그는 날거나 또는 세계 속으로 비집고 들어가서 자유를 행사하

기 위하여 사물의 위치와 사물의 사물성을 슬슬 흔들어보거나
(「품」), 움직여야 할 주체인 '나'의 꼴을 들여다보거나(「어디
우산 놓고 오듯」), 또는 날아야 할 공간을 성찰하고 있다(「모든
'사이'는 무섭다」). 그는 우선 움직이기 위하여 '나' 자신의 존
재의 중량을 어떻게 처리해야 하는지를 궁리하고 있다. "어디
우산 놓고 오듯/어디 나를 놓고 오지도 못하고/이 고생이구
나"의 말투는 무심코 중얼거리는 독백처럼 가볍고, 우산과 나
의 대비는 유머러스하지만, 그 가벼움이 끌고 가는 보이지 않
는 짐의 무게는 가볍지도 유머러스하지도 않다. 아마도 생로
병사보다도 더 괴로운 것은 생로병사를 포함한 삶의 고통 자
체가 우연한 것이라는, 그 환장할 막막함일 것이다. 그 반대라
면 어떤가. 삶의 고통이나 삶이 끌고 가야 할 무게의 무거움이
필연적인 것이라면 인간의 직성이 풀릴 것인가. 필연의 갑갑
함이 더 괴로운 것인지를 따지는 것은 무의미한 괴로움일 뿐
이다. "어디 우산 놓고" 온다는 것은 우연한 일이다. 그것은
실수이다. 전혀 중요하지 않은, 하찮은 실수이다. 우산을 잃어
버리지 않고 챙겨서 들고 왔다 한들 그것이 무슨 큰 위업이랴.
시인은 그 하찮은 우연의 하찮음에 자기 자신을 내던지고, 자
신이 끌고 가야 할 자기 존재의 중량을 그 우연에 겹쳐버림으
로써, 인간의 숨통을 조이는 우연 또는 필연으로부터 동시에

벗어날 수 있게 되기를 꿈꾼다. 시행에 따르면 '이 고생'에 처해 있는 이유는, 이유라기보다는 '이 고생'의 환경은 "어디 나를 놓고 오지도 못하"는 것이다. 그 '이 고생'은 도대체 어떤 내용의 고생일까. 아마도 그것은 자기 존재의 중량을 스스로 끌고 가야 하는 고생일 것이다. 그 고생은 날기와 기기 사이에 찡기는, 고통스런 고생이지만, "어디 우산 놓고 오듯"은 그 고생의 무게를, 그 무게가 얼마나 무거운 것이든 간에, 그 무거움을 말하지 않고 오히려 그 가벼움을 전한다.

옮겨적은 「품」이라는 시는 비의 꿈과 나무의 꿈에 동참함으로써 그 두 개의 꿈이 빚어내는 새로운 공간, 안길 수 있는 조화로운 공간을 보여준다. 보여준다기보다는 그 공간이 어디엔가 존재하리라는 또다른 꿈으로 독자들을 감질나게 한다. "비 맞고 서 있는 나무들처럼/어디/안길 수 있을까"라는 시행 속에서 비와 나무는 결합되어 있지만 "비는 어디 있고/나무는 어디 있을까"에서는 비와 나무는 분리되어 있다. 나는 이 시속에서의 비와 나무의 관계를 잘 헤아릴 수가 없다. 다만 시를 읽을 수 있을 뿐이다. 시인이 찾고 있는 것은 궁극적으로는 비도 나무도 아니다. 그것은 비와 나무의 개별성을 긍정하는 바탕 위에서의 그 둘 사이의 '품'이다. '품'은 비와 나무를 결합시킴으로써 빚어지는 공간이 아니라, 비와 나무를 적당히 벌려놓음으로써 생기는 공간이다. 그 '품' 속에서 비의 비됨과 나무의 나무됨이 매몰되는 것은 아니다. 시인에게 "어디/안길 수 있을까"라는 생각을 촉발시켜준 것은 "비 맞고 서 있는 나무들"이다. 시인은 자기 자신이 안길 공간을 찾기 위하여 비와 나무를 새로운 위치에 배치시키고 그 둘 사이의 '품'을 찾고 있다.

그러나 「모든 '사이'는 무섭다」가 보여주는 것처럼 '잠'과 '각성'의 그 완강한 절연의 대치상태 속에서 '품'을 생각한다는 것은 무섭고도 참담한 일일 것이다. '나'와 사물들, 그리고 그 '사이'의 운명을 성찰하는 것은 그 시인이 세상을 매달고 날기 위한 예비 동작인 셈이다.

> 사랑할 시간이 많지 않다
> 아이가 플라스틱 악기를 부— 부— 불고 있다
> 아주머니 보따리 속에 들어 있는 파가 보따리 속에서
> 쑥쑥 자라고 있다
> 할아버지가 버스를 타려고 뛰어오신다
> 무슨 일인지 처녀 둘이
> 장미를 두 송이 세 송이 들고 움직인다
> 시들지 않는 꽃들이여

아주머니 밤 보따리, 비닐
보따리에서 밤꽃이 또 막무가내로 핀다
                    _「사랑할 시간이 많지 않다」

내가 잘 댕기는 골목길에
분식집이 생겼다
저녁 어스름
그집 아줌마가 형광등 불빛 아래
재게 움직이는 게 창으로 보인다
환하게 환하게 보인다
오, 새로 시작한 일의 저 신바람이여
                        _「신바람」

내가 미친놈처럼 헤매는
원성 들판에서
이리 뛰고 저리 뛴다
세상에 나온 지
한 달밖에 안 된!
송아지

너 때문에

이 세상도

생긴 지 한 달밖에 안 된다!

「송아지」

　다시 세 편의 시를 옮겨 적었다. 시인은 세상의 무게를 본
격적으로 가늠하고 있다. 그가 무게를 가늠하는 정신의 동작
은 헬리콥터의 바람개비처럼, 보이지 않는다.「사랑할 시간이
많지 않다」는 시를 무리하게 두 토막으로 잘라본다면 첫 행인
"사랑할 시간이 많지 않다"와 그 뒤 시행 전체로 나눌 수 있을
것이다. 뒤 시행들은 "사랑할 시간이 많지 않"은 정황을 설명
하거나 또는 그 시간 없음의 근거를 보여주고 있다. "사랑할
시간이 많지 않다"는 말은 한줄기의 바쁘고도 신들린 신바람
이다. 이 신바람은 멀지 않아 죽어야 하리라는 유한의 운명
앞에서 그 운명과 더불어 함께 가는 신바람이다. 그 신바람은
희망만도 아니고 절망만도 아닌 신바람이다. 그 신바람은 절
망의 무게까지를 감당해내는 신바람이다. 시인이 제시하는
그 바쁨의 정황들은 "플라스틱 악기를 부— 부— " 부는 아이
거나 "보따리 속에서 쑥쑥 자라고 있는 파"이거나 '비닐 보따
리' 속에서 막무가내로 피어나는 밤꽃 같은 것들이다. 그것이

그 바쁜 신바람의 근거라니! 플라스틱, 보따리, 비닐 같은 것
들은 생명 또는 자연에 대한 억압과 부조화의 장치들이다. 그
억압의 장치 속에 갇혀 있는 생명들은 그 장치에 짓눌려 있는
것이 아니라, 그 억압의 장치와 더불어 놀고 있다. 그러나 그
놀아남에는 짓눌림의 무게가 매달려 있다. 짓눌림의 무게는
경감되거나, 짓눌림의 내용은 변질되어서 놀아남에 매어달린
다. "할아버지가 버스를 타려고 뛰어오신다"는 문장은 외형
상으로는 놀아남도 아니고 짓눌림도 아니다. 그것은 일면, 무
의미한 일상의 동작이다. 그 무의미한 일상의 동작이 짓눌림
과 놀아남 사이에서 무의미하지 않은 제자리를 찾아가고 있
다. 그의 바쁜 신바람의 정체는, 두번째로 옮겨 적은 시 「신바
람」 속에 아주 분명하게 드러나 있다. "분식집이 생겼다"와
그 집 주인 여자가 형광등 아래서 "재게 움직이는 게" 신바람
의 이유이며 정황이다. 삶은 삶이 아닌 다른 무엇에 의하여
충만되는 것이 아니라, 삶 자체에 의하여 충만될 때 신바람에
실릴 수 있다. 시 전체의 어법이 무미건조하면서도 유머러스
하다. 시의 첫 행과 두번째 행은 독자들에게 '도대체 무슨 소
릴 하려고 이러는가?'라는 당혹감을 줄 만큼 일상적이다. 그
같은 어법은 그가 세상의 무게를 띄워올리면서 자신의 정신
작용의 흔적을 감추어버리는 데 큰 기여를 하고 있는 것으로

보인다.

마지막에 옮겨 적은 시 「송아지」에서 시인은 이 세상의 들판을 "미친놈처럼" 헤맨다. 그의 미침의 내용은 나타나 있지 않다. 그가 미침의 내용을 드러내지 않는 이유는, 자신이 무슨 이유로 어떤 모양새로 미쳐 있건 간에, 그 미침의 무게를 희롱해서 변형시켜버리려는 의도 때문인 것 같다. 그 미침에 겹쳐지는 것은 한 마리의 송아지다. 시인은 미쳐서 '헤매'고, 송아지는 "이리 뛰고 저리 뛴다". 헤매는 미친 시인과 이리 뛰고 저리 뛰는 신생의 송아지가 겹치면서 시인의 헤맴과 송아지의 뜀 사이에 받아들이고 실리는 관계가 설정된다. 그 보이지 않는 관계에 의하여 송아지가 시인의 '미침'을 끌고 새로운 세상으로 들어간다. 그 새로운 세상은 '생긴 지 한 달밖에 안 되'는 맑은 세상이다. 또다시 살아야 할 삶과 또다시 놀아보아야 할 세상이, 아직 살아지지도 놀아지지도 않은 시원始原의 순결로 열린다.

　　이 新生兒를 보아라 천둥벌거숭이
　　네 소리의 맑은 피와
　　네 소리의 드높은 음식을 먹으며
　　네가 다니는 길의 눈부신

길 없음에 놀아난다, 우르릉……

　　　　　　　　　　　_「천둥을 기리는 노래」

　지금까지 나는 정현종의 시 몇 편을 따라 읽으면서, 거기에
관련된 나의 두서없는 생각들을 적었다. 나의 글은 그 시집의
전체와, 그 시집의 정신의 꼭대기를 말하지 못하는 결함을 갖
는다.

　"세상과 사물의 가랑이를……" 운운하며 나는 이 글을 시
작했지만, 그 가랑이는 결국 벌려지지 않은 것 같다. 억지로
하려니, 되는 일이 없다.

'천상병'이라는 풍경

천상병의 마음이나 체취의 조각들에 관하여 말해야 하는 것은 나의 지극한 고통이다. 그의 표정이나 목소리, 그의 어법, 그의 걸음걸이, 그의 웃음, 그의 음색, 그의 밥 먹는 모습, 그의 조는 모습, 그의 집, 그의 음악, 그의 신발, 그의 옷, 그의 얼굴, 그의 눈꼽, 그의 입가의 침 버캐, 그의 주머니 속의 천원짜리 두 장, 그의 선글라스……에 관하여 말하는 것은 그의 시에 관하여 말하는 것보다 훨씬 더 고통스럽다. 무구한 것들은 인간의 말에 의하여 훼손되거나 엉터리로 규정되지 않는 지복至福을 누릴 권리가 있을 터인데, 천상병의 웃음소리와 그의 입가의 침 버캐와 그의 주머니 속의 천원짜리 두 장이 그러하다. 그것들이 모두 합쳐져서 이루어지는 천상병은 '백치 같은'이라고나 말해야 할 무구함과, 이 세상을 향해 자기 자신을 완벽하게도 열어버리는 놀라운 개방성 위의 자유인이다. 그는 그 개방성과 무구함 위에서 다만 자유롭지만 바라보는 나에게는 그 자유는 멸종 위기의 자유이고 멸종 위기의 슬픔이다.

그의 주저앉은 눈꼬리와 비틀린 입술, 똑같은 말을 고래고래 소리질러 거듭 되풀이하는 그의 어법은, 때로는 고도로 집중된 정신의 힘을 느끼게 하지만 그는 집중과 동시에 그 집중을 완벽하게 풀어헤쳐버린다. 그의 표정이나 말투뿐 아니라 그의 어떤 시들 속에서도 집중과 풀어짐은 동시에 발생하고 있다. 나는 그처럼 시와 인간이 일치하는 시인을 본 적이 없다.

내가 일하던 회사에서 천상병 부인 목여사가 경영하는 인사동의 '귀천歸天' 카페까지는 걸어서 십 분쯤 걸린다. 점심이 지난 오후 시간에 그 카페에 가면, 거기서 가끔 천상병을 만날 수 있었다. 나는 한 큰 시인의 표정을 곁눈질하려는 천박한 저널리즘의 호기심이나 직업근성으로 그 카페에 가지는 않았다. 별볼일없이 다 떨어진 삶이 이다지도 피로할 수가 있을까, 이 피로는 무슨 잘난 지향성을 위한 피로인가—그런 막막함을 감당하기 어려울 때 나는 때때로 그 카페에 가서 천상병을 만났다. 아니 다만 그를 쳐다보기만 하고 돌아올 때도 있었다. 천상병의 웃음소리는 늘 지향점조차 불분명한 내 피로를 향해 '헤쳐버려라'고 말하는 듯싶었다. 그의 웃음은 나의 피로를 위로하는 것이 아니라, 그것을 무화無化시켜버리는 것이었다. 그는 미리 설정된 아무런 장치가 없이 세상을 바라본다. 그가 그렇게 세상을 바라보는 눈의 꼬리에 한 점의 눈꼽이 끼어 있다. 천상병 풍으로 말한다면 천상병에게 그 눈꼽의 의미를 물어도 절대로 대답하지 못한다. "똥걸레 같은 지성은 썩어버려도"(「한 가지 소원」), 세계와 천상병의 눈 사이에 낀, 이 한 점 섬과도 같은 눈꼽은 어떻게 좀 안될지 모르겠다. 세계가 운명적으로 내포하고 있는 울음과 한 생애의 가난에 대하여 그가 얼마나 단말마의 신음과 절규로 대항해왔던 것인가를 나는 안다.

누가 나에게 집을 사주지 않겠는가? 하늘을 우러러 목터지게 외친다. 들려다오 世界가 끝날 때까지…… 나는 結婚式을 몇 주 전에 마쳤으니 어찌 이렇게 부르짖지 못하겠는가?……집은 보물이다. 全世界가 허물어져도 내 집은 남겠다.

_「내 집」 중에서

나는 이런 시행詩行들을 자본주의의 논리로도 사회주의의 논리로도 해석할 수 없다. 나는 다만 천상병 눈가의 눈꼽을 통해서만 이 시에 가까이 갈 수 있다. 그 눈꼽은 무구한 것들의 힘으로 절규하거나, 절규받아야 할 대상을 무구한 것들의 힘으로 찍어버린다.

얼마 전에 나는 돈 좀 있어 보이는 한 출판업자의 술값으로 천상병과 함께 향기로운 미희들이 우글거리는 요정에 간 적이 있었다. 내 운명감정에 따르면 그것은 그에게나 나에게나 팔자에 없는 노릇이었다. 요정으로 가는 뒷골목에서 나는 요정과 팔자 사이의 무관계성을 천상병에게 말했다. 그는 무척이나 서운하고 분했던 모양이었다.

"야 이놈아, 요정이 네 팔자에나 없지 왜 내 팔자에 없겠느냐? 있다! 있다! 있다!"라고 천상병은 요정 입구에서 소리 소리 질렀다. 소리치는 그의 입가에 침 버캐가 매달려 있었다. 그와 내가 신선로를 사이에 두고 마주 앉았고, 향기로운 두 미희가 우리들 곁에 하나씩 앉았다. 요정이 평생 처음이라고 소리치는 천상병은, 그러나 한평생 요정에서 굴러먹은 자들도 감히 넘볼 수 없는 호탕함으로 잘 놀았다. 그는 음식을 입에 대지 않았다. 그리고 그는 여자의 손을 잡았다. 그는 그의 야윈 어깨를 수그려, 머리를 여자에게로 가까이 하고, 지극한 정성으로 떨리는 손길을 뻗어 여자의 손을 잡았다. 여자들은 초장부터 천상병의 표정과 체취와 말투에 질려 있었다. 천상병은 침 버캐가 매달린 입술을 내밀어 여자의 손등에 입맞추었다. 그는 경이에 찬 눈으로 여자를 들여다보았고, 그의 삭정이

같은 손을 뻗어 요정 여자의 고데한 머리를 만졌다. 여자는 질
겁을 하면서 엉덩이를 움츠려 물러났다. 천상병도 엉덩이를
움츠려 여자를 따라갔다. "요놈! 요놈! 요놈! 요 예쁜 놈!" 천
상병은 여자를 들여다보면서, 앙천대소하면서, 그렇게 소리
소리 질렀다.

　'요놈! 요놈! 요놈!―' 이, 외마디 비명 세 토막이야말로 아
름다운 것들 또는 무구한 것들, 스스로 저 자신일 뿐 다른 아
무것도 아닌 것들, 살아서 움직거리는 것들을 향해 내뱉는 천
상병의 마지막 절규이다. 이 절규 앞에서 요정의 사회경제학
과 자본주의의 부도덕은 함께 무너져야 싸리라. 천상병의 "요
놈! 요놈! 요놈!"은 세상이 앗, 할 사이도 주지 않고 세상의 아
름다움을 정조준으로 겨누어 그대로 찍어버린다. 그는 술을
마시지는 않았다. "나에게 술 마시게 하려면 내 마누라의 결재
를 받아오라. 그러나 맥주 두 잔은 마시겠다. 맥주 두 잔은 이
미 결재된 주량이다"라고 그는 말했다. 지난해 그가 간질환으
로 춘천도립병원에서 입원치료를 받고 난 후, 그의 부인 목여
사가 그의 하루 주량을 맥주 두 잔으로 언도했는데, 그는 단
한 번도 그 언도량을 위반한 일이 없었다. 술은 나 혼자서 마
셨다. 내가 아주 알맞은 취기에 젖어 있을 무렵, 천상병의 "요
놈! 요놈! 요놈!"은 요정의 술판을 완전히 제패하고 있었다.

그는 그 자리에서 또 자신의 선글라스 이야기를 들려주었다. 나로서는 한 열 번쯤은 들은 이야기였다. 그러나 천상병에게는 지나간 열 번의 이야기는 늘 무효였으며 그것은 언제나 새로운 이야기였고 나는 앞으로도 열 번 이상이라도 더 그같은 이야기를 새롭게 경청하지 않으면 안되리라.

그가 지난 봄날 선글라스를 장만했다. 그를 따르는 한 시인 지망생이 사다준 싸구려 선글라스였다. 그 선글라스를 말하는 천상병의 얼굴은 늘 지복至福, 그것이었다. 여름에 선글라스를 끼어보니까, 머리를 뚫어버릴 것처럼 맹렬하던 그 잔혹한 햇빛이 봄날의 아지랑이처럼 순해지고, 이 세상이 살기에 알맞은 온도와 습도 속에서 부드러워지더라는 것이 그의 행복의 내용이었다.

"너도 선글라스 하나 장만해라. 참 좋다. 선글라스 참 좋다! 참 좋다! 참 좋다!" 이것이 언제나 되풀이되는 그의 선글라스 이야기의 종결구이다. "참 좋다"를 세 번 되풀이할 때 그의 입가에는 "요놈!"을 세 번 되풀이할 때처럼 늘 침 버캐가 매달려 있었다. 그의 부인 목여사가 함께 있는 자리라면 목여사가 손수건을 꺼내서 어린 아기의 코를 닦아주듯이 그것을 닦아주지만, 부인이 없는 자리에서는 부인이 아닌 나는 그의 침 버캐를 닦아줄 수 없다. 나는 다만 한 장의 휴지를 그의 앞에 내밀 뿐이다. 그러면 그는 또 외친다. "괜찮다! 괜찮다! 괜찮다! 다 괜찮다!"

세상의 사랑에 대한 그의 긍정이 시가 될 수 없는 몇 토막의 외마디 절규로 처리되고 끝나버리는 것은, 진실로 '괜찮은' 일인가. 나는 거기에 대답하지 못한다. 아마도 천상병도, 당신들도 대답하지 못할 것이다. 속된 저널리스트의 눈으로 보기에는 이미 돌이키기 어렵게, 한 부분이 망가져 있는, 내 사랑하는 저 시인이 다시 시의 긴장을 회복할 수 있을 것인가─나는 질문 자체를 거두지 않으면 안 되리라. 그런 생각을 하고 있는 내 뒷골을 천상병의 천둥 같은 고함이 찍는다.

"괜찮다! 괜찮다! 다 괜찮다!"

천상병의 얼굴 위에서 그의 눈꼽과 침 버캐는 아름답게도 펴져 있었다. 그것이 그의 운명이다.

천상병의 정치의식

천상병은 살아서 일곱 권의 시집을 냈다. 그 시집들의 제목은

『새』, 1971년, 조광

『酒幕에서』, 1979년, 민음사

『천상병은 천상 시인이다』, 1984년, 오상

『저승가는 데도 여비가 든다면』, 1987년, 일선

『歸天』, 1989년, 살림

『요놈 요놈 요 이쁜놈』, 1991년, 답게

『아름다운 이 세상 소풍 끝내는 날』, 1991년, 미래사

들이다. 그의 약력에 따르면 그는 중광, 이외수와 함께 공동시

집 『도적놈 셋이서』를 냈고, 『괜찮다 괜찮다 다 괜찮다』라는
수필집을 낸 것으로 되어 있다.

천상병의 시집들은, 1971년의 『새』를 제외하면, 그 책들을
펴낸 출판사의 에디터십이 철저히도 무너져 있음을 보여준다.
많은 부분들이 서로 겹쳐 있고, 겹쳐진 작품들은 아무런 계통
이나 구획도 없이 서로 뒤섞여 있을 뿐 아니라 작품의 발표 연
도를 꼼꼼히 추적해서 기록한 출판사도 없다. 한 시인이 사십
년 가까이 써온 작품들이 시간의 흐름을 따라가는 가장 단순
한 배열원칙조차 지켜지지 않은 채 마구잡이로 뒤섞여 있는
시집들은 독자를 혼란시킨다. 그 시집들은 시를 위하여 의미
있고 편안한 집이라고 할 수 없다. 아마도 짐작건대, 천상병이
한평생 누리고 간 그 설화적인 가난이 그처럼 많은 겹치기 시
집을 에디터십의 여과나 도움 없이 마구 출간케 한 배경이 되
기는 되었을 터이다. 그러나 그가 막걸리 한 잔 값을 비는 천
진한 가난에서조차 벗어난 지금, 천상병은 엄격하고도 자상한
에디터십의 도움을 받는 한 권의 시전집으로 정돈되어 새로
출간될 필요가 있을 것이다.

천상병의 시들은 흔히 종교 혹은 형이상학적 추론에 의해
도달할 수 있는 세계를 종교나 형이상학의 도움이 전혀 없이
일상성을 통해서 도달한다. 그의 일상성이란 생활이나 현실

그 자체라기보다는, 생활과 현실에 부딪치고 있는 시인의 개인적 내면이다. 천상병은 그가 시로서 도달한 곳에서 종교적인 혹은 형이상학적인 초월의 몸짓이나 누림을 거의 보여주지 않는다. 그의 시는 흔히, 언어에 날끝을 세우려는 노력이나 사유를 빳빳하게 긴장시킴으로써 위엄에 도달하려는 조형적 열정과도 무관하다. 그의 시는, 시적 긴장이 가장 고조된 시행들에 이르러 그 긴장을 가볍고도 능란하게 풀어헤치고, 다시 일상적인 개인의 내면으로 돌아온다. 아니다. 그게 아니라, 그의 시행들은 시적 긴장의 축적이나 시적 관통력의 분출을 향해 나아갈 때도 일상적 개인의 내면을 모두 이끌고 나아간다. 그가 이끌고 나아가는 일상적 개인의 내면이란, 흔히, 슬픔이거나 외로움 혹은 세계의 단순성 앞에서의 기쁨, 가난의 괴로움과 쓸쓸함 같은 것들이지만 그가 이런 정서들을 이끌고 시적 긴장을 향해 시행을 옮겨갈 때, 그는 자신이 이끌고 가는 것들 위에 올라탄다. 글을 쓴다는 행위는 의미의 무게를 이끌고 가는 노역의 행위일 테지만, 천상병의 시는 이끌고 가는 자의 수고스러움이나 그 수고가 빚어내는 위엄이나 억압적 긴장의 작열감으로부터 떠나 있다. 그 대신 천상병의 시는 자기 자신의 삶의 하중 위에 올라타 있는 사람의 자유로움으로 가득 차 있다. 그의 올라타기는, 적절한 비유가 될는지는 알 수 없으나, 소나 말을 올라타는 행위라기보다는 바람에 실리는 새의 정비靜飛를 닮아 있다. 기류를 타고 정비하는 새처럼, 천상병은 언어의 퍼덕거리는 날갯짓을 별로 해대지 않고서도 지난한 거리를 건너간다. 그가 거리를 건너간 곳에서 그가 타고 온 바람은 여전히 불어대고 있는 것이어서, 그의 시의 첫 행을 읽기 시작해서 몇 줄의 시행을 거쳐서 마지막 시행에까지 당도해도 삶은 여전히, 별수 없이 삶일 뿐이다.

천상병의 시들은, 그 시들이 타고 온 삶의 하중이라는 기류를 다시 삶의 자리로 돌려보내고 있다. 아마도 그의 시에 관용구처럼 따라다니는 '천진난만'이나 '순진무구' 같은 공식 어구들은 아마도, 이른바 '시詩'라는 언어적 조형물을 만들기 위하여 삶에 시적 억압을 가하지 않고 삶을 삶의 자리로 온전히 돌려 보내려는 그의 선의善意, 혹은 조형적 기율이나 억압에 대한 그의 무욕無慾 때문인 것 같다. 언어에 의해서 어떤 형태로든 삶을 기율지으려는 것이 무릇 시의 한 운명적인 속성일 터인데, 천상병의 어떤 시들은 시의 그같은 운명에 대하여 작은 경의조차 표하지 않는다. 거칠게 구획하자면, 천상병의 시들은 그의 시가 아직도 조형의 기율 안에 삶의 하중을 어느 정도 가두어놓고 있던 전기 시들과, 그의 언어와 사유가 조형의 억압적 기율을 풀어놓고 삶의 풍경과 하중을 속수무책으로 개방해버린 후기 시로 나눌 수 있을 터이다. 다시 거칠게 구획하자면 그 구분시점은 대체로 70년대 중반쯤인 것으로 보인다.

70년대 중반 이후에도 전기 시의 유형에 속하는 시들이 더러 쓰여지고 있으며 또 70년대 중반 이전에도 후기 시의 유형에 속하는 시들이 많이 있다는 점에서, 그같은 구획은 무의미해 보인다. 그러나 그의 시가 결국 조형적 기율의식을 청산해나가는 과정으로 전개되었으며, 말년의 시들은 그 결과로써 삶 앞에서의 백치적인 순수미에까지 도달했다는 점에서, 그같은 유형설정이 전혀 무의미하지는 않다.

앞으로의 내 글은 그 첫번째 유형을 들여다보기 위해 쓰여진다.

대체로 「새」라는 제목이나 부제가 달려 있는 시들은 천상병의 전기 시들의 모습을 두루 갖추고 있다.

이젠 몇년이었는가
아이론 밑 와이샤쓰같이
당한 그날은

이젠 몇년이었는가

무서운 집 뒷창가에 여름 곤충 한 마리

땀 흘리는 나에게 악수를 청한 그날은……

내 살과 뼈는 알고 있다

진실과 고통

그 어느 쪽이 강자인가를……

내 마음 하늘

한편 가에서

새는 소스라치게 날개 편다

_「그날은―새」전문

　지난날, 너 다녀간 바 있는 무수한 나뭇가지 사이로 빛은 가고 어둠이 보인다. 차가웁다. 죽어가는 자의 입에서 불어오는 바람은 소슬하고, 한번도 정각을 말한 적 없는 시계탑 침이 자정 가까이에서 졸고 있다. 계절은 가장 오래 기다린 자를 위해 오고 있는 것은 아니다. 너, 새여……

_「西大門에서 새」전문

(······)

피를 흘리며 새는 하늘에서 떨어졌다. 수풀 속에 떨어진
새의 屍體는 그냥 싸늘하게 굳어졌을까. 온 수풀은 聖 바오
로의 손바닥인 양 새의 屍體를 어루만졌고, 모든 나무와 풀
과 꽃들이 모여들었다. 그리고 울부짖었다. 罪없는 者의 피
는 씻을 수 없다. 罪없는 者의 피는 씻을 수 없다

_「새」 중에서

옮겨 적은 시편들 속에서 새는 매우 무거운 하중의 정치의
식을 운반하고 있다. 새의 정치의식은 정치적 노선이나 전망
을 일체 설정하지 않고 있다. 그 새의 정치의식은 정치적 현실
과 그 현실 속에 어쨌든 몸담고 있는 인간존재를 무섭고도 영
원한 긴장관계로 인식하고 있다. 그러한 인식은 비극적 정치
인식이다. 그 새는 정치현실 안에 있지만 새는 안의 운명을 거
역한다. 그러나 새의 거역에도 불구하고 새는 여전히 정치현
실의 안에 있다. 이 소통되지 않는 정치현실과 인간존재의 관
계, 혹은 관계없음이 새의 정치의식을 비극적으로 긴장시키고
있다.

「그날은」이라는 시는 아마도 그가 겪은 고문과 감금의 기억
에 의해 쓰여진 시일 것이다. 회상의 어조로 시작되는 그 시

는, 나는 나를 아이론 밑 와이셔츠처럼 깔아버린 정치현실에 관해서는 말하지 않겠다, 나는 다만 나 자신에 관해서만 말하겠다. 그래서 나와 정치현실 사이의 이 무서운 소통불가능과 대립관계 위에서 짓밟힌 나의 자아를 확인하겠다—그런 고집스런 진술태도를 유지하고 있다. 그가 정치현실과 관련해서 떠올린 기억은 '여름 곤충 한 마리'일 뿐이다. 그 '여름 곤충 한 마리'가 땀 흘리는 나에게 악수를 청한다. 고문을 당하고 나서 곤충과 악수하는 나는 나를 고문한 정치현실 안에 있지만 그 안에서 나는 다만 곤충과 악수할 뿐이다. 나의 존재는 정치가 아니라 곤충에 의해서 다시 정치의 바깥쪽으로 부활하는 것인데, 그 나는 "진실과 고통/그 어느 쪽이 강자인가를……" 알고 있다. 그렇다면 진실과 고통 사이에서 어느 쪽이 강자란 말인가. 어느 쪽도 다른 쪽에 대해서 강자는 아니다. 진실과 고통은 서로 길항하면서 서로의 하중을 증폭시키는 관계일 뿐이다. 진실과 고통은 그 양쪽을 모두 감당해야 하는 인간을 정치현실 밖으로 밀어낸다. 그리고 "내 마음 하늘/한편 가에서/새는 소스라치게 날개 편다"는 마지막 행들은, 그 새가 정치현실과 절연된 공간을 날아가면서 그 대칭의 위치에 있는 정치현실을 끝없이 긴장시키는 새라는 것을 보여준다. 그 새는 저항도 비판도 전망도 갖추고 있지 않다. 그러나 그 새는 분노와 증오를 넘어선다. 그 새는 그 분노의 대상인 정치현실 밖에서 명료하게 살아 있는, 부정되지 않는 존재의 생명을 보여준다.

「서대문에서」는 시간 밖으로 밀려난 자가, 밀려난 자리에서 또다시 살아 있음으로 해서, 우주를 흐르는 시간이나 지금까지 경험된 시간이 아닌, 전혀 진술할 수 없고 예견할 수 없는 난해하고도 막막한 새 시간들을 기다리는 답답함을 예비하고 있다. 시간이 남긴 것은 어둠과 차가움뿐이다. 시간은 불모이거나 불임인 것이다. 그 시간을 통과하는 새는 시간으로부터 아무런 의미의 이삭도 줍지 못한다. 그래서 시인은 "계절은 가장 오래 기다린 자를 위해 오고 있는 것은 아니다. 너, 새여……"라고 말한다. 계절이 다가옴과 그것을 기다림이 전혀 무관하다는 비극적 인식은 새의 미래를 차단한다. 그 새는 시간 밖으로 밀려나 있다. 그러나 새는 밀려난 자리에서 밀려난 자의 생을 확인한다. 시간으로부터 쫓겨난 새는 "너, 새여……"라고 불리우는 이 답답한 호격에 의하여 한 단독자의 위치를 확보한다. 그 단독자는 미지의 시간을 헤치고 나가야 할 힘센 단독자이며, 현존하는 시간 속으로 비행할 수 없는 절망적인 단독자이다.

'새'라는 제목이 붙은 시의 마지막 행들에서 시인은 절규하듯이 죄罪 없는 자의 피는 씻을 수 없다고 거듭해서 외치고 있다. 시인은 진혼되지 않는 것들을 진혼되지 않은 채로 방치해 버린다. 시인은 새의 죽음을 지상의 언어로 위무하지 않는다. 시인은 오히려 새의 피살이 지상에서는 위무되지 않는다는 점을 절규한다. 새의 죽음은 위무됨으로써 기정사실화 되는 것이 아니라 위무되지 않음으로써 죽음 자체가 부정된다. 그 새는 아직 죽지 않은 새다. 총에 맞아 피흘리며 떨어져 죽은 새는, 그러나 살아 있는 새다. 그 새는 지상의 위안으로부터 추방되어 있고 추방된 자리에서의 삶을 시인은 확인하고 있다. 추방된 자리에서, 자신을 쫓아내버린 세계와 대칭되는 존재의 삶을 영롱하게 드러내 보이는 것이 천상병의 정치의식이라고, 나는 그렇게 읽었다.

오래 전에 쓴 글이다.

여기에 묶인 글을 쓰던 시절에 나는 언어를 물감처럼 주물러서 내 사유의 무늬를 그리려 했다.

화가가 팔레트 위에서 없었던 색을 빚어내듯이 나는 이미지와 사유가 서로 스며서 태어나는 새로운 언어를 도모하였다.

몸의 호흡과 글의 리듬이 서로 엉기고, 외계의 사물이 내면의 언어에 실려서 빚어지는 새로운 풍경을 나는 그리고 싶었다. 그 모색은 완성이 아니라 흔적으로 여기에 남아 있다.

나는 이제 이런 문장을 쓰지 않는다. 나는 삶의 일상성과 구체성을 추수하듯이 챙기는 글을 쓰려 한다.

그러하되, 여기에 묶은 글들은 여전히 내 마음속 오지의 풍경을 보여준다.

2009년 가을 김훈 쓰다

김훈

1948년 서울 출생. 자전거 레이서. 장편소설 『빗살무늬토기의 추억』 『칼의 노래』 『현의 노래』 『개』 『남한산성』 『공무도하』 『내 젊은 날의 숲』 『흑산』, 소설집 『강산무진』, 산문집 『풍경과 상처』 『자전거 여행』 『내가 읽은 책과 세상』 등이 있다. 경기도 일산 거주.

문학동네 산문집

풍경과 상처

ⓒ 김훈 2009

1판 1쇄	1994년 1월 15일
1판 6쇄	2004년 2월 9일
2판 1쇄	2009년 10월 12일
2판 4쇄	2012년 5월 14일

지은이 김훈
펴낸이 강병선

펴낸곳 (주)문학동네
출판등록 1993년 10월 22일 제406-2003-000045호
주소 413-756 경기도 파주시 교하읍 문발리 파주출판도시 513-8
전자우편 editor@munhak.com | 대표전화 031)955-8888 | 팩스 031)955-8855
문의전화 031) 955-8890(마케팅) 031) 955-8864(편집)
문학동네카페 http://cafe.naver.com/mhdn

ISBN 978-89-546-0931-9 03810

* 이 책의 판권은 지은이와 문학동네에 있습니다.
  이 책 내용의 전부 또는 일부를 재사용하려면 반드시 양측의 서면 동의를 받아야 합니다.
* 이 도서의 국립중앙도서관 출판시도서목록(CIP)은 e-CIP 홈페이지(http://www.nl.go.kr/ecip)에서
  이용하실 수 있습니다.(CIP제어번호: CIP2009003005)

www.munhak.com